中国国家汉办规划教材

体验汉语系列教材

Experiencing Chinese

体验汉语®

英语版

Living in China

生活篇

顾　问　刘　珣

总策划　刘　援

编　者　朱晓星　岳建玲

　　　　吕宇红　褚佩如

40～50课时

Tiyan Hanyu Shenghuo Pian

高等教育出版社·北京

HIGHER EDUCATION PRESS BEIJING

《体验汉语®》立体化系列教材

短期课程系列：

《体验汉语®·生活篇（40~50课时）》

顾　　问：刘　珣

总 策 划：刘　援

编　　者：朱晓星、岳建玲、吕宇红、褚佩如

策　　划：徐群森 梁　宇

责任编辑：徐群森

版式设计：孙　伟

插图设计：徐群森

插图绘制：刘　艳

插图选配：徐群森 金飞飞

封面设计：周　末

责任校对：徐群森 金飞飞

责任印制：刘思涵

前　言

《体验汉语·生活篇（40~50课时）》英语版是专为初学汉语的外国人编写的汉语教材，适用于短期学习汉语的成人学员。既可以供短期班使用，也适用于一对一单人教学。

本书根据体验式教学理念和任务型教学思想而设计，以基本生活需要为依据，以实用的交际任务为编写主线，注重听说技能的培养。全书由一个语音训练单元（2~4学时）和12个学习单元（3~4学时／单元）组成，总教学时间约为40~50学时。

教材基本结构

一、语音训练

针对短期学生的特点，语音训练主要放在"语音训练"集中进行。另外，在每个单元还选取一些重点词语进行发音比较练习。

二、12个学习单元

我们根据外国学生在中国生活的基本需要，选取最实用的交际任务，组成了本书的12个单元。每个单元由学习目标、热身、词语、句子、会话和活动构成。

会话短小实用，语言材料力求真实、自然、鲜活。语言难点以英文注释的形式加以解释。

课堂活动体现了体验式教学的特点，既有传统的练习形式，又有实践性很强的任务型练习。

教材主要特色

针对成人学生学习时间有限、但自主学习能力强的特点，本教材在编写上采用了一些具有特色的形式：

每个单元分为两部分，均由学习内容和活动组成，即学即练，不仅方便教学，而且能增强学生的成就感。

"热身"是进入每一单元的第一步，以图片配词语的方式引导学生进入新的任务单元。既可以挖掘学生已知信息，又为后面的句型和对话演练做准备。

在"活动"中，学生可以根据自己的情况自主选择，这是成人自主学习理念在教材设计中的一个尝试。

我们特地设计了听对话练习，注重学与练之后的实际操作，重点培养学生听的能力。"认汉字"部分选取的都是日常生活中经常出现的汉字。对于短期学生来说，识读身边常见的汉字更具有实用价值。"你知道吗？"旨在挖掘语言中存在的中外差异，增强学生对汉语的理解。

教材的版式设计和插图融合了中国文化和现代都市生活的趣味，特别针对成人学习者的欣赏习惯而设计，并且采用了大量的实景摄影照片，是"体验汉语"理念的重要体现。编者谨向高等教育出版社在教材插图和版式设计等方面的创造性工作致以衷心的感谢。

教材由"北京外交人员语言文化中心"的教师在多年教学实践和研究的基础上编写而成，真诚欢迎您对本书提出宝贵意见和建议。

编　者

2005年11月

Introduction

Experiencing Chinese: Living in China (40–50 Hours) is a language book especially written for foreign beginners of the Chinese language. It is suitable for adults who want a short course for learning Chinese. It provides material suitable both for short-term classes and for one-on-one teaching.

The book incorporates the concept of learning-through-experience and functional language learning. It is designed to meet the basic requirements for daily social communication, and focuses on the training of listening and speaking skills. The book consists of one Pronunciation camp (2–4 hours) and 12 units (3–4 hours/unit), totaling 40–50 teaching hours.

Structure

1. Pronunciation

For short-term learners, phonetic training is mainly provided in the "Pronunciation" section. In addition, there is pronunciation and comparative practice in each unit of important words and expressions selected from dialogues.

2. 12 Units

The 12 units of the book are made up of the most practical communication tasks selected to meet the basic requirements of the learners' daily life in China. Each unit contains the following sections: Objectives, Warm-Up, Words and Phrases, Sentences, Dialogue and Activities.

The difficult points in the text are shown in English notes only.

The practice in the class embodies the features of learning-through-experience, presenting traditional exercises as well as functional practice.

The Main Features

In accordance with the characteristics of adult learners who have limited studying time but strong self-learning ability, this book adopts a couple of innovative patterns:

There are two parts in each unit, both consisting of text and practice. Learners should follow the sequence by finishing the first part before going on to the second one. This learning-with-practicing model not only favors teaching and learning, but enhances the learners' feeling of accomplishment.

"Warm-Up" is the first step towards each unit. The words and expressions with the pictures or charts will lead the learners into the new task unit. It re-cycles the knowledge already acquired by the learners and increases their vocabulary in preparation for the sentence and dialogue practice afterwards.

In the "Activities" section, the learners can fulfill each language task through various interesting activities and, thus, increase vocabulary. In addition, learners are able to decide how to study according to their own situation. This is an attempt to incorporate the self-learning concept into adult education books.

We especially designed the listening exercises, emphasizing advancing students' listening abilities. "Characters" selects frequently used Chinese characters in daily life. It is especially useful for short-term students to read these common Chinese characters. "Do You Know?" is aimed at bringing out the differences between Chinese and foreign cultures in the language, for your better understanding of Chinese.

The layout design and illustrations incorporate Chinese culture and tastes of modern metropolitan life, as well as the preferences of adult learners. A large amount of real-life pictures are included, which is an important demonstration of the "Experiencing Chinese" concept.

We hope that you will like this book and find it helpful and fun. We sincerely welcome your valuable comments and suggestions.

目 录 CONTENTS

学习目标 (Objectives)

语音训练
Pronunciation
- Learning initials, finals and tones of Chinese Pinyin — 1
- Basic pronunciation and tone drills

Unit 1
你好！
Hello!
- Learning how to greet people — 5
- Learning how to introduce one's name and nationality

Unit 2
现在几点？
What time is it now?
- Learning how to express time: the time, years, months and dates — 18

Unit 3
那件毛衣怎么卖？
How much does the sweater cost?
- Learning how to ask price and talk about money — 29
- Learning how to bargain
- Learning how to express the size and color, etc.

Unit 4
要一个宫保鸡丁
I'd like a fried diced chicken with peanuts
- Learning how to order food, make requests and pay the bill — 45

Unit 5
你在哪儿工作？
What do you do?
- Learning how to talk about family, occupations and age — 56

Unit 6
珍妮在吗？
Is Jenny in?
- Learning how to make and answer phone calls — 68

Unit 7
一直走
Go straight ahead
- Learning how to ask for directions and places 79

Unit 8
你的新家在哪儿？
Where is your new house?
- Learning how to use the location words 91
- Learning how to express the location of things

Unit 9
你怎么了？
What's the matter with you?
- Learning how to ask about and describe one's health 104
- Learning some vocabulary for the human body

Unit 10
你会修电脑吗？
Can you repair a computer?
- Learning how to talk about talents, abilities and leisure activities 115

Unit 11
太冷了！
It' too cold!
- Learning how to describe the weather and the climate 129

Unit 12
请把桌子擦一下儿
Please clean the table
- Learning useful words and phrases for housework 140

录音文本 Scripts 153
语言注释 Language Notes 155
词汇表 Vocabulary 157
日常生活用语 100 句 Daily Chinese 100 168

Yǔyīn xùnliàn

语音 训练

Pronunciation

学习目标 Objectives

- 学会汉语拼音的声母、韵母和声调 Learning initials, finals and tones of Chinese *Pinyin*
- 拼读和声调练习 Basic pronunciation and tone drills

A Chinese syllable is usually composed of an initial, a final and a tone. An initial is a consonant that begins the syllable and a final is the rest of the syllable. If you want to learn to speak Chinese, you should learn the initials, the finals and the tones first.

声母和韵母 Initials and finals

声母 Initials

bpmf　　dtnl　　gkh　　jqx　　zh ch sh r　　zcs

韵母 Finals

	i	u	ü
a	ia	ua	
o		uo	
e	ie		üe
ai		uai	
ei		uei (ui)	
ao	iao		
ou	iou (iu)		
an	ian	uan	üan
en	in	uen (un)	ün
ang	iang	uang	
eng	ing	ueng	
ong	iong		

语音训练 ▶▶▶

注释 Notes

1. When "i" forms a syllable by itself, it is written as "yi" ; when "i" occurs at the beginning of a syllable, it is written as "y".
   e.g. i—yi ia-ya ian—yan

2. When "u" forms a syllable by itself, it should be written as "wu"; when "u" occurs at the beginning of a syllable, it is written as "w".
   e.g. u—wu ua—wa uan—wan

3. When "ü" forms a syllable by itself or occurs at the beginning of a syllable, it is written as "yu", with the dots dropped.
   e.g. ü—yu üan—yuan ün—yun üe—yue

4. When "j", "q", "x" are put before "ü" or a final begins with "ü", the two dots in "ü" are dropped.
   e.g. jüzi — juzi qüanbu — quanbu xüexi — xuexi

拼读练习 Pronunciation drills

1. 单韵母音节 The mono final syllables

ba pa ma fa　　da ta na la　　ga ka ha
bo po mo fo　　de te ne le　　ge ke he
bi pi mi　　di ti ni li
bu pu mu fu　　du tu nu lu　　nü lü

2. 复韵母音节 The compound final syllables

gai gei gao gou gua guo guai gui　　lia lie liao liu lüe
kai kei kao kou kua kuo kuai kui　　nie niao niu nüe
hai hei hao hou hua huo huai hui

3. 鼻韵母音节 The nasal-ended final syllables

ban ben bang beng　　pan pen pang peng
man men mang meng　　fan fen fang feng
dan dang deng dong　　tan tang teng tong
nan nang neng nong　　lan lang leng long luan nuan

bin bing　pin ping　min ming　lin ling　nin ning

4. **声母是j、q、x的音节 The syllables with initials j, q, x**

ji qi xi　　ju qu xu　　jue que xue

jin jing　　jian jiang　　qian qiang　　xian xiang

5. **声母是zh、ch、sh、r和z、c、s的音节 The syllables with initials zh, ch, sh, r and z, c, s**

zhi	chi	shi	ri	zi	ci	si
zhe	che	she	re	ze	ce	se
zhan	chan	shan	ran	zan	can	san
zhang	chang	shang	rang	zong	cong	song

6. **y、w开头的音节 The syllables initiated by y and w**

yi wu yu　　wa wo wai wei　　wan wen wang weng

yin ying yan yang　　yun yuan yong

声调 Tones

There are four basic tones and one neutral tone in the standard Chinese. They are indicated by tone graphs. Namely, "ˉ" (the first tone), "ˊ" (the second tone), "ˇ" (the third tone) , "ˋ" (the fourth tone) and the neutral tone which is not marked. When a syllable is pronounced in different tones, it has different meanings. For example: tāng means "soup", táng means "sugar", tǎng means " to lie down" and tàng means " hot" or "to iron".

Diagram of tones

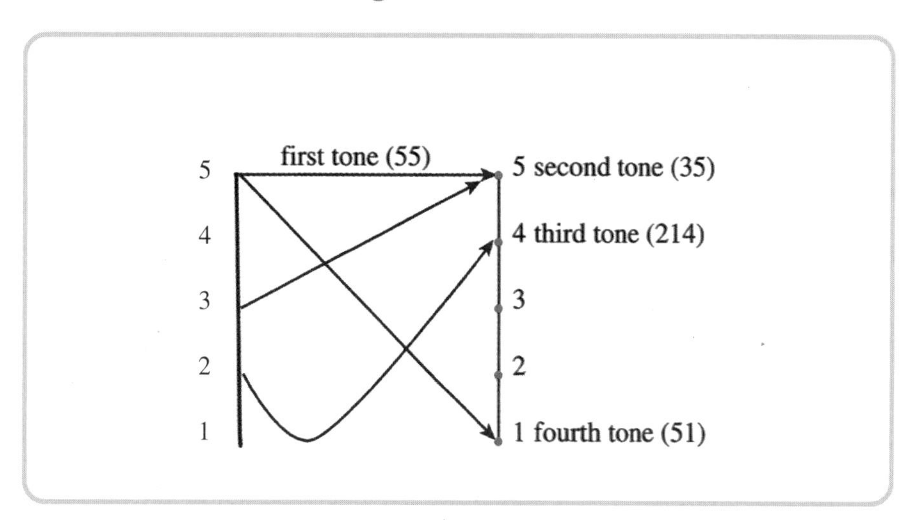

语音训练

声调练习 Tone drills

1. 基本声调练习。
Four basic tones drill.

mā	má	mǎ	mà
gē	gé	gě	gè
hāo	háo	hǎo	hào
qiān	qián	qiǎn	qiàn

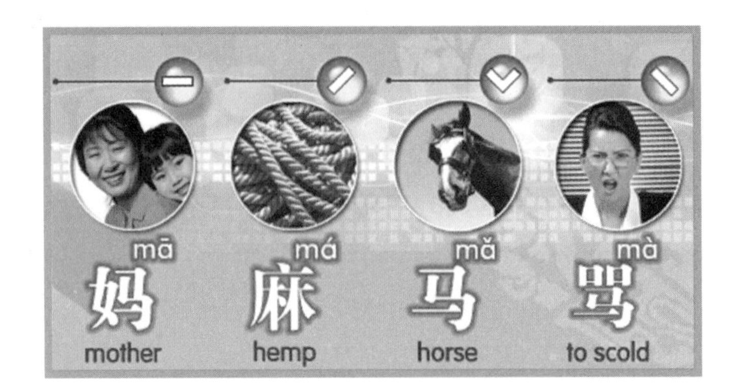

2. 当两个第三声音节连在一起时，第一个要读成第二声。例如 nǐhǎo → níhǎo。请跟读下列词语。
When there are two third-tone syllables together, the first one should be pronounced with the second tone while the tone of the second syllable stays unchanged. For example: nǐhǎo → níhǎo. Please read the following words.
hěnhǎo　yǔfǎ　fǔdǎo　suǒyǒu

3. 第三声字在第一、二、四和轻声前边时，要变成"半三声"。也就是只读原来第三声的前一半降调。例如：nǐmen → nǐmen。请跟读下列词语。
When a third tone followed by a first, second or fourth tone, or neutral tone, it is pronounced in the "half" third tone. That is, the tone that only falls but doesn't rise. For example: nǐmen → nǐmen. Please read the following words.

Běijīng	kǎoyā	Měiguó	lǚxíng
wǎnfàn	kěpà	xǐhuan	jiějie

4. 轻声读得又短又轻。跟读下列词语。
The neutral tone is very light and short. Please read the following words.

māma	gēge	yéye	zhízi
nǎinai	jiějie	dìdi	mèimei

UNIT 1

Nǐ hǎo!

你好！

Hello!

学习目标 Objectives

- 学会问候的基本表达用语 Learning how to greet people
- 学会介绍自己的姓名、国籍 Learning how to introduce one's name and nationality

热身 Warm-Up

第一部分

生词 Words and Phrases

1. nǐ 你 you
2. hǎo 好 good
3. nín 您 you (the formal/respectful form of "nǐ")
4. guì xìng 贵姓 What's your surname?
5. wǒ 我 I, me
6. xìng 姓 surname, family name
7. jiào 叫 to be called

句子 Sentences

会话 Dialogue

Song Lili: Hello!

Jenny: Hello!

Song Lili: What's your surname?

Jenny: My surname is White. I'm Jenny. What's your surname?

Song Lili: My surname is Song. I'm Song Lili.

Sōng Lìli: Nǐ hǎo!
宋丽丽：你 好！

Zhēnnī: Nǐ hǎo!
珍妮：你 好！

Sōng Lìli: Nín guì xìng?
宋丽丽：您 贵 姓[1]？

Zhēnnī: Wǒ xìng Huáitè, jiào Zhēnnī.
珍妮：我 姓 怀特，叫 珍妮。
Nín guì xìng?
您 贵 姓？

Sōng Lìli: Wǒ xìng Sōng, jiào Sōng Lìli.
宋丽丽：我 姓 宋，叫 宋 丽丽。

注释

Notes

您 贵 姓[1] "Nín" is the respect form of "nǐ". It is used for formal occasions or for addressing elders. For informal occasion, especially children, people use "Nǐ jiào shénme míngzi?" instead of "Nín guì xìng?".

活动 Activities

语音练习
Listen and read

nǐ	———	nín
wǒ	———	tā
xiānsheng	———	xiǎojiě
nǐ hǎo	———	nín guì xìng

问与答
Ask and answer

Nǐ hǎo! 你 好!	
Nín guì xìng? 您 贵 姓?	
	Wǒ xìng Sòng, jiào Sòng Lìli. 我 姓 宋, 叫 宋 丽丽。

学数字
Learn numbers

一	yī	二	èr
三	sān	四	sì
五	wǔ	六	liù
七	qī	八	bā
九	jiǔ		

零	líng	十	shí
十一	shíyī	十二	shí'èr
十三	shísān	十四	shísì
十九	shíjiǔ	二十	èrshí
二十一	èrshíyī	三十	sānshí
三十一	sānshíyī	九十九	jiǔshíjiǔ
一百	yìbǎi		

第二部分

生词 Words and Phrases

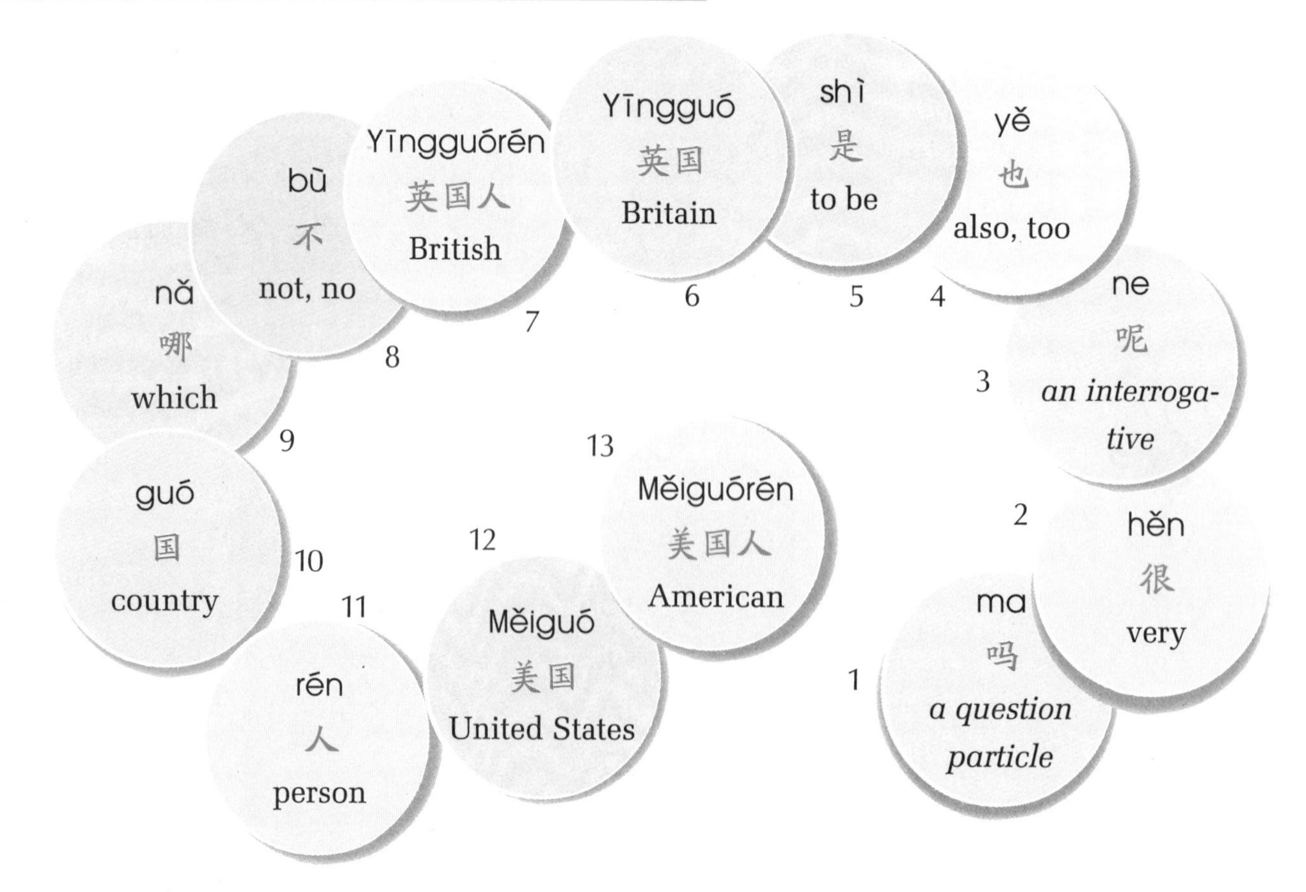

句子 Sentences

1 Nǐ hǎo ma?
你 好 吗?

2 Wǒ hěn hǎo.
我 很 好。

3 Nǐ ne?
你 呢?

4 Nín shì Yīngguórén ma?
您 是 英国人 吗?

5 Nín shì nǎ guó rén?
您 是 哪 国 人?

1 How are you?
2 I am fine.
3 And you?
4 Are you British?
5 What's your nationality?

会话 Dialogue

Mǎdīng: Nǐ hǎo ma?
马丁: 你 好 吗[2]?

Zhāng Huá: Wǒ hěn hǎo. Nǐ ne?
张华: 我 很 好。你 呢[3]?

Mǎdīng: Wǒ yě hěn hǎo.
马丁: 我 也 很 好。

Zhāng Huá: Nín shì Yīngguórén ma?
张华: 您 是 吗?

Mǎdīng: Bú shì.
马丁: 不[4] 是。

Zhāng Huá: Nín shì nǎ guó rén?
张华: 您 是 哪 国 人?

Mǎdīng: Wǒ shì Měiguórén.
马丁: 我 是 美国人。

注释 Notes

吗[2] "Ma" is a very common interrogative which always appears at the end of sentences and expresses a simple question.

呢[3] "Ne" can express a kind of interrogative. In the dialogue, it is often used to ask a question which relates to the conversation.

不[4] "Bú" means "not". It is used before the word it negates.

Martin:	How are you?
Zhang Hua:	I'm fine. And you?
Martin:	I'm fine, too.
Zhang Hua:	Are you British?
Martin:	No, I'm not.
Zhang Hua:	What's your nationality?
Martin:	I am American.

活动 Activities

问与答
Ask and answer

1. Zhōngguó
   中国
   Zhōngguórén
   中国人

2. Déguó
   德国
   Déguórén
   德国人

3. Rìběn
   日本
   Rìběnrén
   日本人

4. Fǎguó
   法国
   Fǎguórén
   法国人

5. Xībānyá
   西班牙
   Xībānyárén
   西班牙人

Nǐ hǎo ma? 你 好 吗?	wǒ hěn hǎo.
Nǐ shì Yīngguórén ma? 你 是 英国人 吗?	wǒ bú shì yīngguórén.
Nǐ shì nǎ guó rén? 你 是 哪 国 人?	wǒ shì túnísīrén.
Nǐ shì nǎ guó rén	Wǒ shì Zhōngguórén. 我 是 中国人。

练一练

Read and practise

1. 把下面的句子变成带“吗”的疑问句。
   Change the following sentences into questions with “ma”.

lì: Nǐ hǎo. 例：你 好。	→	Nǐ hǎo ma? 你 好 吗?

a. Wǒ xìng Sōng.
   我 姓 宋。 → Nǐ xìng sòng ma?

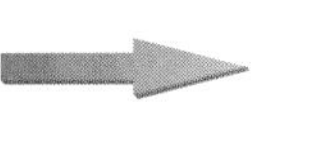

b. Tā jiào Zhāng Huá.
   他 叫 张 华。 → Nǐ jiào Zhāng Huá ma?

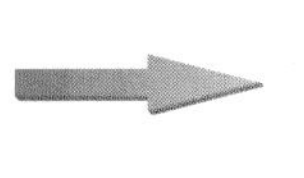

c. Wǒ shì Měiguórén.
   我 是 美国人。 → Nǐ shì Měiguórén ma?

2. 请用“不”改写下面的句子。
Rewrite the following sentences with “bù”.

lì: Wǒ xìng Zhāng. 例：我 姓 张。	→	Wǒ bú xìng Zhāng. 我 不 姓 张。

Wǒ xìng Mǎ. a. 我 姓 马。	→	wǒ bú xìng Mǎ
Wǒ jiào Zhāng Lì. b. 我 叫 张 力。	→	wǒ bú jiào Zhāng Lì
Wǒ shì Zhōngguórén. c. 我 是 中国人。	→	wǒ bú shì Zhōngguórén

3. 用“也”改写下面的句子。
Rewrite the following sentences with “yě”.

lì: Wǒ xìng Mǎ. 例：我 姓 马。	→	Wǒ yě xìng Mǎ. 我 也 姓 马。

Wǒ hěn hǎo.
a. 我 很 好。

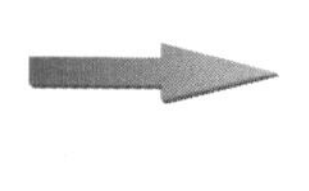

Wǒ shì Zhōngguórén.
b. 我 是 中国人。

Wǒ bú xìng Wáng.
c. 我 不 姓 王

读一读然后连线
Read and match

你好！	Bú kèqi.	I'm sorry.
谢谢！	Zàijiàn!	Thanks!
不客气。	Méi guānxi.	Good-bye!
对不起。	Nǐ hǎo!	You are welcome.
没关系。	Duìbuqǐ.	That's all right.
再见！	Xièxie!	Hello!

Match the corresponding courtesy words.
请找出彼此对应的礼貌用语。

nǐ hǎo! 你 好！	méi guānxi. 没 关系。
duìbuqǐ. 对不起。	nǐ hǎo! 你 好！
zàijiàn! 再见！	bú kèqi. 不 客气。
xièxie! 谢谢！	zàijiàn! 再见！

听录音选择正确答案
Listen and choose the appropriate response

1. a. Nǐ hǎo! 你 好！
   b. Wǒ hěn hǎo. 我 很 好。
   c. Nǐ hǎo ma? 你 好 吗？

2. a. Wǒ guì xìng Mǎ. 我 贵 姓 马。
   b. Wǒ xìng Mǎ. 我 姓 马。
   c. Nín guì xìng? 您 贵 姓？

认汉字
Characters

nǐ hǎo
hello

huānyíng
welcome

你知道吗？

Do You Know?

中国人的姓名一般以两个字或三个字最为常见，一般第一个字是姓，后边的是名。中国人常用姓加上称谓来称呼别人，如“李小姐、王先生”等。据最新的调查显示，现在中国人使用最多的十个姓是李、王、张、刘、陈、杨、赵、黄、周、吴。

Chinese names often have two or three characters. Usually the first character is the surname, followed by the given name. When people address each other, they may use the surname plus a certain title, like “Lǐ xiǎojiě”、“Wáng xiānsheng” etc. According to the latest survey, the ten most common surnames in China are: Lǐ, Wáng, Zhāng, Liú, Chén, Yáng, Zhào, Huáng, Zhōu and Wú.

补充词语表 Supplementary Words & Phrases

零	líng	zero
一	yī	one
二	èr	two
三	sān	three
四	sì	four
五	wǔ	five
六	liù	six
七	qī	seven
八	bā	eight
九	jiǔ	nine
十	shí	ten

十一	shíyī	eleven
十二	shí'èr	twelve
十三	shísān	thirteen
十四	shísì	fourteen
十九	shíjiǔ	nineteen
二十	èrshí	twenty
二十一	èrshíyī	twenty-one
三十	sānshí	thirty
三十一	sānshíyī	thirty-one
九十九	jiǔshíjiǔ	ninety-nine
一百	yìbǎi	one hundred

他	tā	he, him
小姐	xiǎojiě	Miss
先生	xiānsheng	Mr., sir
谢谢	xièxie	Thanks.
不客气	bú kèqi	You are welcome.
对不起	duìbuqǐ	I'm sorry.
没关系	méi guānxi	That's all right.
再见	zàijiàn	Good-bye.

法国	Fǎguó	France
法国人	Fǎguórén	French
德国	Déguó	Germany
德国人	Déguórén	German
中国	Zhōngguó	China
中国人	Zhōngguórén	Chinese
日本	Rìběn	Japan
日本人	Rìběnrén	Japanese
西班牙	Xībānyá	Spain
西班牙人	Xībānyárén	Spaniard

UNIT 2

Xiànzài jǐ diǎn?

现在 几 点?

What time is it now?

学习目标 Objectives

- **学会时间、日期的表达** Learning how to express time: the time, years, months and dates

热身 Warm-Up

bā diǎn
八 点

bā diǎn líng wǔ (fēn)
八 点 零 五 (分)

bā diǎn shíwǔ (fēn)
八 点 十五 (分)
bā diǎn yí kè
八 点 一 刻

bā diǎn bàn
八 点 半

bā diǎn sìshíwǔ (fēn)
八 点 四十五 (分)
bā diǎn sān kè
八 点 三 刻

bā diǎn wǔshíwǔ (fēn)
八 点 五十五 (分)
chà wǔ fēn jiǔ diǎn
差 五 分 九 点

第一部分

生词 Words and Phrases

1. xiànzài 现在 now, at the present time
2. jǐ 几 how many...?
3. diǎn 点 o'clock
4. bàn 半 half
5. huí 回 to go back
6. jiā 家 home; family

现在几点？

句子 Sentences

会话 Dialogue

Song Lili: What time is it now?

Zhang Hua: It's half past six.

Song Lili: When are you going home?

Zhang Hua: 7 o'clock. And you?

Song Lili: I am going home at 7:30.

Sōng Lìli: Xiànzài jǐ diǎn?
宋丽丽：现在 几 点？

Zhāng Huá: Xiànzài liù diǎn bàn.
张 华：现在 六 点 半。

Sōng Lìli: Nǐ jǐ diǎn huí jiā?
宋 丽丽：你 几 点 回 家？

Zhāng Huá: Wǒ qī diǎn huí jiā. Nǐ ne?
张 华：我 七 点 回 家。你 呢？

Sōng Lìli: Wǒ qī diǎn bàn huí jiā.
宋丽丽：我 七 点 半 回 家。

活动 Activities

语音练习
Listen and read

看图完成会话
Complete the dialogue according to the pictures

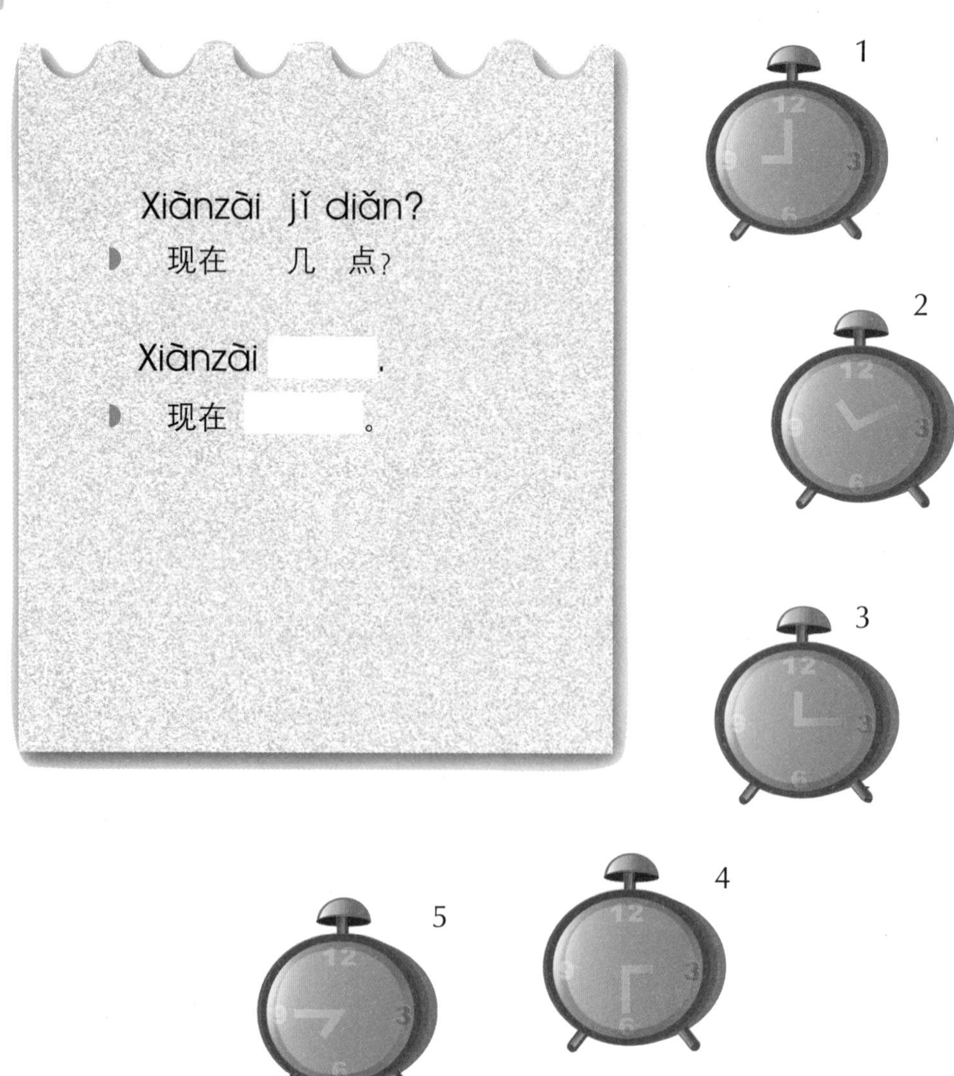

学词语说时间
Learn words and tell the time

zǎoshang	shàngwǔ	zhōngwǔ	xiàwǔ	wǎnshang
早上	上午	中午	下午	晚上

lì: zǎoshang liù diǎn
例： 早上 六 点

替换练习
Substitution

Nǐ jǐ diǎn huí jiā?
- 你 几 点 回 家？

Wǒ bā diǎn huí jiā.
- 我 八 点 回 家。

shàngbān
上班

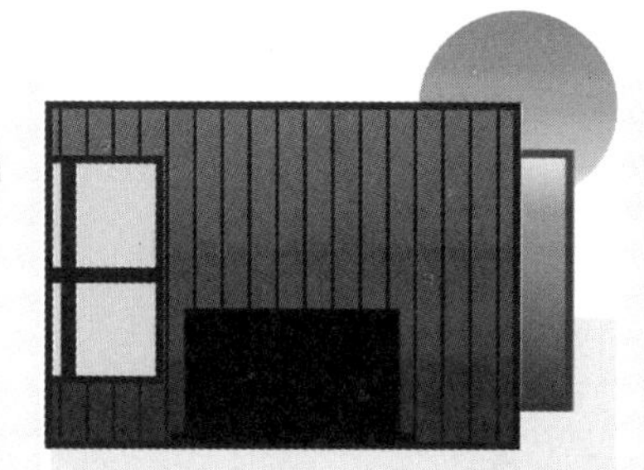

xiàbān
下班

chī wǎnfàn
吃 晚饭

shuìjiào
睡觉

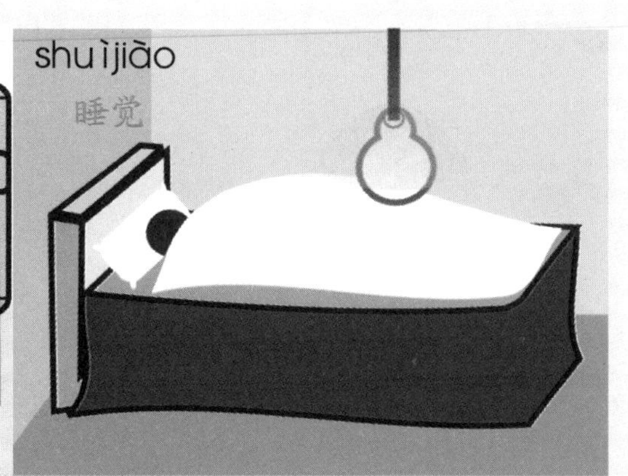

第二部分

生词 Words and Phrases

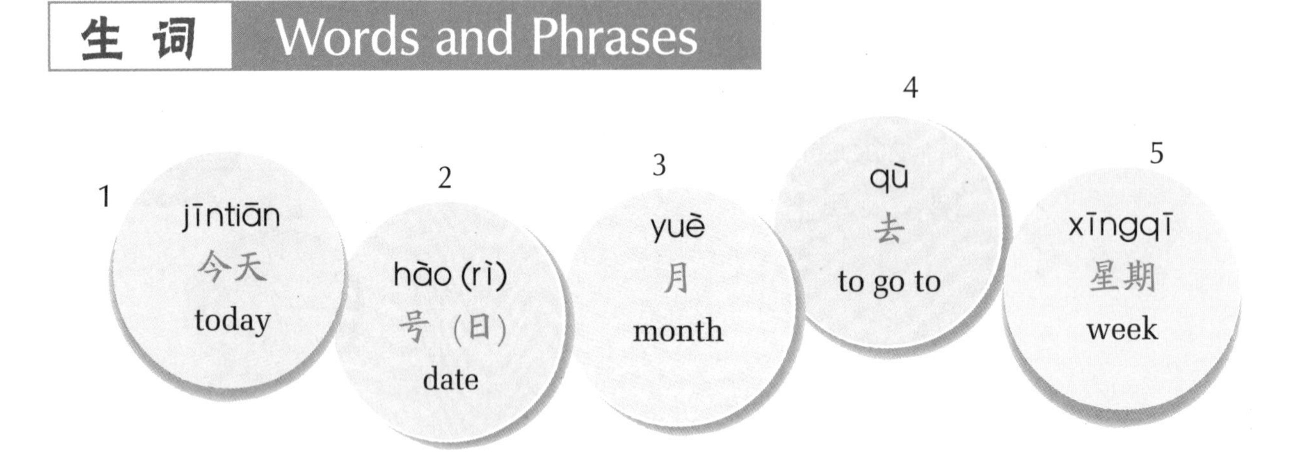

句子 Sentences

会话 Dialogue

Martin: What day is today?
Song Lili: Today is the 8th of August.
Martin: Which day are you going to Shanghai?
Song Lili: I am going to Shanghai on the 10th, and coming back to Beijing on the 13th.
Martin: What day is the 13th?
Song Lili: It's Friday.

Mǎdīng: Jīntiān jǐ hào?
马丁：今天 几 号？

Sòng Lìli: Jīntiān bā yuè bā hào.
宋丽丽：今天 八月 八 号。

Mǎdīng: Nǐ jǐ hào qù Shànghǎi?
马丁：你 几 号 去 上海？

Sòng Lìli: Wǒ shí hào qù Shànghǎi, shísān hào huí Běijīng.
宋丽丽：我 十 号 去 上海，十三 号 回 北京。

Mǎdīng: Shísān hào shì xīngqī jǐ?
马丁：十三 号 是 星期 几？

Sòng Lìli: Shísān hào shì xīngqīwǔ.
宋丽丽：十三 号 是 星期五。

活动 Activities

读一读然后连线
Read and match

Jīntiān jǐ hào? 1. 今天 几 号？	Xiànzài shí'èr diǎn. a. 现在 十二 点。
Xiànzài jǐ diǎn? 2. 现在 几 点？	Jīntiān xīngqīsān. b. 今天 星期三。
Nǐ jǐ diǎn shàngbān? 3. 你 几 点 上班？	Jīntiān qī yuè shísì hào. c. 今天 七 月 十四 号。
Jīntiān xīngqī jǐ? 4. 今天 星期 几？	Wǒ jiǔ diǎn shàngbān. d. 我 九 点 上班。

替换练习
Substitution

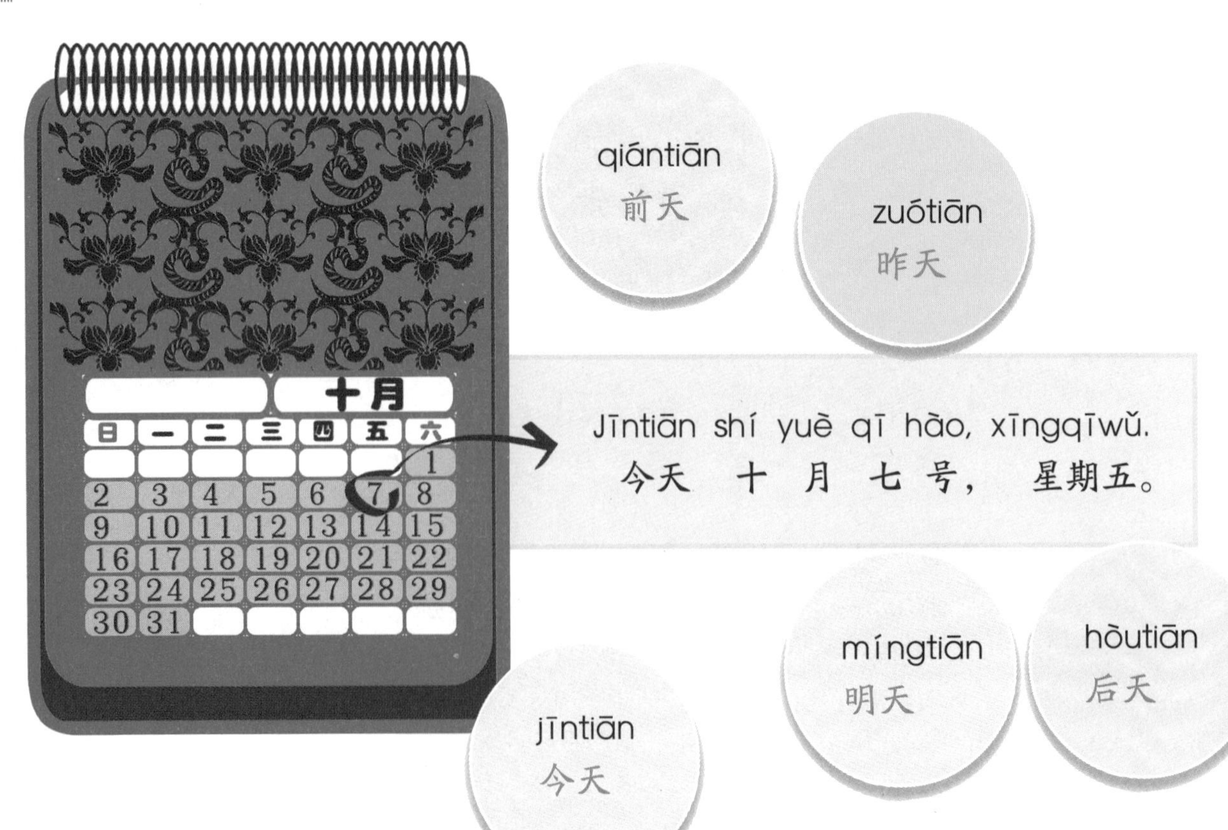

把下面的词按正确的顺序排列成句
Put the words in the right order to make sentences

xīngqī nǐ huí jǐ guó
1. 星期 你 回 几 国

Guǎngzhōu qù bā wǒ hào
2. 广州 去 八 我 号

听录音选择正确答案
Listen and choose the appropriate response

1. Zhēnnī jīntiān xiàwǔ qù péngyou jiā.
   a. 珍妮 今天 下午 去 朋友 家。
   Zhēnnī míngtiān xiàwǔ qù péngyou jiā.
   b. 珍妮 明天 下午 去 朋友 家。

2. Mǎdīng liù diǎn yí kè chī wǎnfàn.
   a. 马丁 六 点 一 刻 吃 晚饭。
   Mǎdīng qī diǎn chī wǎnfàn.
   b. 马丁 七 点 吃 晚饭。

认汉字
Characters

yíngyè shíjiān

办公时间
上午 8:30–12:00
下午13:00–17:00
(16:30停止办公)

bàngōng shíjiān
office time

你知道吗？

Do You Know?

中文的时间排列顺序通常是从大到小，顺序为：年、月、日、星期、上午、点、分。比如：2004年11月18日星期四上午10点05分。

In Chinese, the order when telling the time is from big to small, i.e. year, month, day, week, in the morning, o'clock, minute. For example, èrlínglíngsì nián shíyī yuè shíbā rì xīngqīsì shàngwǔ shí diǎn líng wǔ fēn.

补充词语表 Supplementary Words & Phrases

上班	shàngbān	to go to work
下班	xiàbān	to come off work
吃	chī	to eat
晚饭	wǎnfàn	dinner
睡觉	shuìjiào	to go to bed

早上	zǎoshang	early morning
上午	shàngwǔ	morning
中午	zhōngwǔ	noon
下午	xiàwǔ	afternoon
晚上	wǎnshang	evening

前天	qiántiān	the day before yesterday
昨天	zuótiān	yesterday
明天	míngtiān	tomorrow
后天	hòutiān	the day after tomorrow
朋友	péngyou	friend

分	fēn	minute (of time or degree)
刻	kè	quarter of an hour
差	chà	to lack, be short of

UNIT 3

Nà jiàn máoyī zěnme mài?

那件毛衣怎么卖？

How much does the sweater cost?

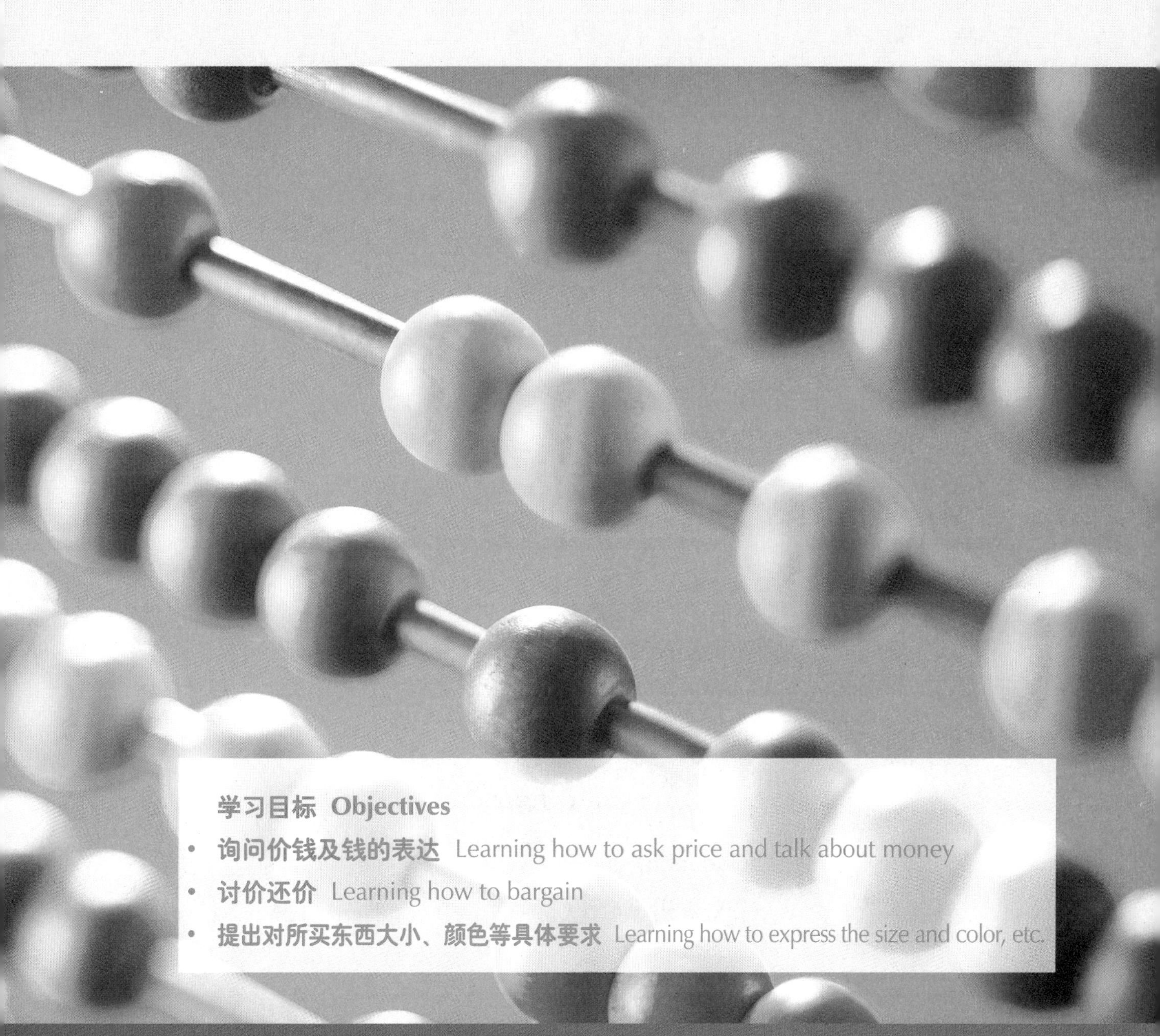

学习目标 Objectives

- **询问价钱及钱的表达** Learning how to ask price and talk about money
- **讨价还价** Learning how to bargain
- **提出对所买东西大小、颜色等具体要求** Learning how to express the size and color, etc.

那件毛衣怎么卖？

热身 Warm-Up

yìbǎi kuài
一百 块

wǔshí kuài
五十 块

èrshí kuài
二十 块

shí kuài
十 块

wǔ kuài
五 块

liǎng kuài
两 块

yí kuài
一 块

wǔ máo
五 毛

liǎng máo
两 毛

yì máo
一 毛

wǔ fēn
五 分

èr fēn/ liǎng fēn
二 分 / 两 分

yì fēn
一 分

第一部分

生词 Words and Phrases

1. mǎi 买 to buy
2. shénme 什么 what
3. píngguǒ 苹果 apple
4. duōshao 多少 how much, how many
5. qián 钱 money

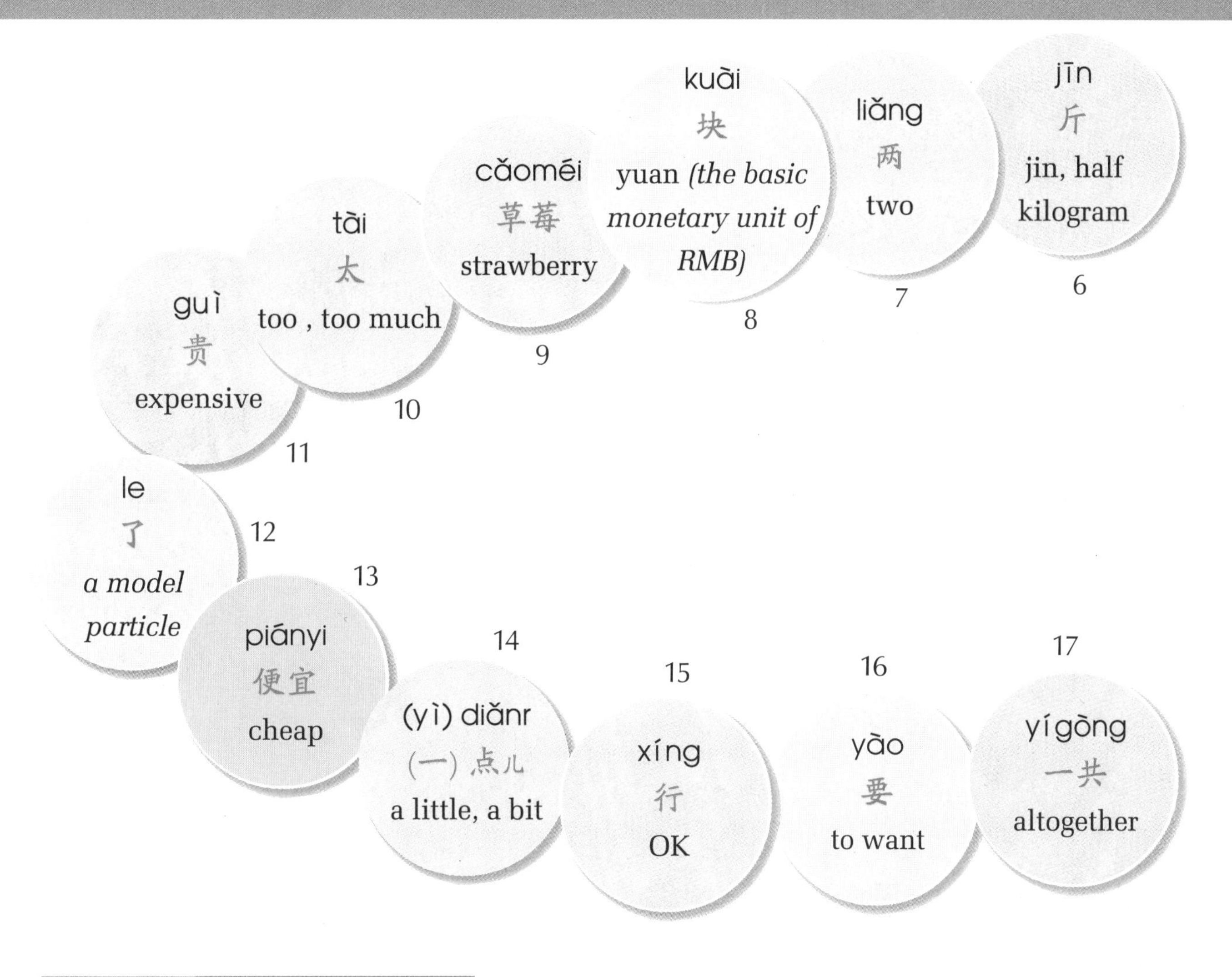

句子 Sentences

会话 Dialogue

（珍妮在自由市场买水果。）

(Jenny is buying some fruits in a free market.)

mài shuǐguǒ de rén: Nǐ hǎo! Nǐ mǎi shénme?
卖 水果 的 人：你 好！你 买 什么？

Zhēnnī: Wǒ mǎi píngguǒ.
珍妮：我 买 苹果。

Duōshao qián yì jīn?
多少 钱 一 斤？

mài shuǐguǒ de rén: Liǎng kuài wǔ yì jīn.
卖 水果 的 人：两[5] 块 五 一 斤。

Zhēnnī: Cǎoméi ne?
珍妮：草莓 呢？

mài shuǐguǒ de rén: Shí kuài yì jīn.
卖 水果 的 人：十 块 一 斤。

Zhēnnī: Tài guì le, piányi diǎnr, xíng ma?
珍妮：太 贵 了，便宜 点儿，行 吗？

mài shuǐguǒ de rén: Bā kuài. Yào duōshao?
卖 水果 的 人：八 块。要 多少？

Zhēnnī: Píngguǒ yào sān jīn, cǎoméi yào yì jīn.
珍妮：苹果 要 三 斤，草莓 要 一 斤。

Yígòng duōshao qián?
一共 多少 钱？

mài shuǐguǒ de rén: Shíwǔ kuài wǔ.
卖 水果 的 人：十五 块 五。

Fruit Seller: Hello! What do you want to buy?

Jenny: Apples. How much is it for one jin?

Fruit Seller: 2.50 kuai for one jin.

Jenny: How about strawberries?

Fruit Seller: Ten kuai for one jin.

Jenny: That's too expensive. Can you make it cheaper?

Fruit Seller: Eight kuai. How much do you want?

Jenny: Three jin of apple and one jin of strawberries. How much altogether?

Fruit Seller: 15.5 kuai

注释 Notes

两 Both number "èr" and "liǎng" in Chinese indicate "two". When "two" is used before a measure word to indicate the quantity of some objects, "liǎng" should be used, e.g. "liǎng jīn píngguǒ". But number "twelve、twenty、twenty-two" should be pronounced "shí'èr、èrshí、èrshí'èr".

语音练习
Listen and read

看图完成对话
Complete the dialogue according to the pictures

píjiǔ
啤酒

Nǐ mǎi shénme?
◗ 你 买 什么？

◗ ________。

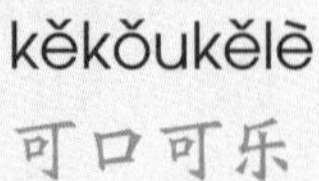

kěkǒukělè
可口可乐

miànbāo
面包

niúnǎi
牛奶

Píngguǒ duōshao qián yì jīn?
◗ 苹果 多少 钱 一 斤？

◗ ________。

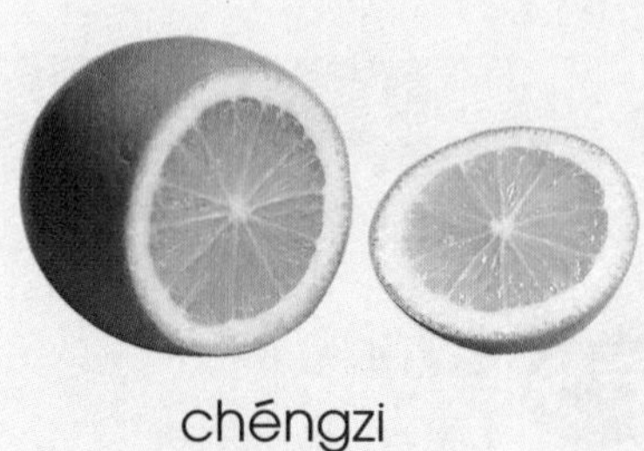

chéngzi
橙子 6.80

lìzhī
荔枝 15.00

pútáo
葡萄 4.50

Yào duōshao?

要　多少？

Píngguǒ yào sān jīn, cǎoméi yào yì jīn,

苹果　要　三　斤，草莓　要　一　斤，

Yígòng duōshao qián?

一共　多少　钱？

Shíwǔ kuài wǔ.

十五　块　五。

huánggua 黄瓜

xīhóngshì

西红柿 10.50

8.60

yángcōng

洋葱

xīlánhuā

西兰花

mógu

蘑菇 7.30

húluóbo

胡萝卜

角色扮演
Role play

两人一组。

一人扮演顾客，一人扮演卖东西的。

Play in pairs.

One buyer and one seller.

第二部分

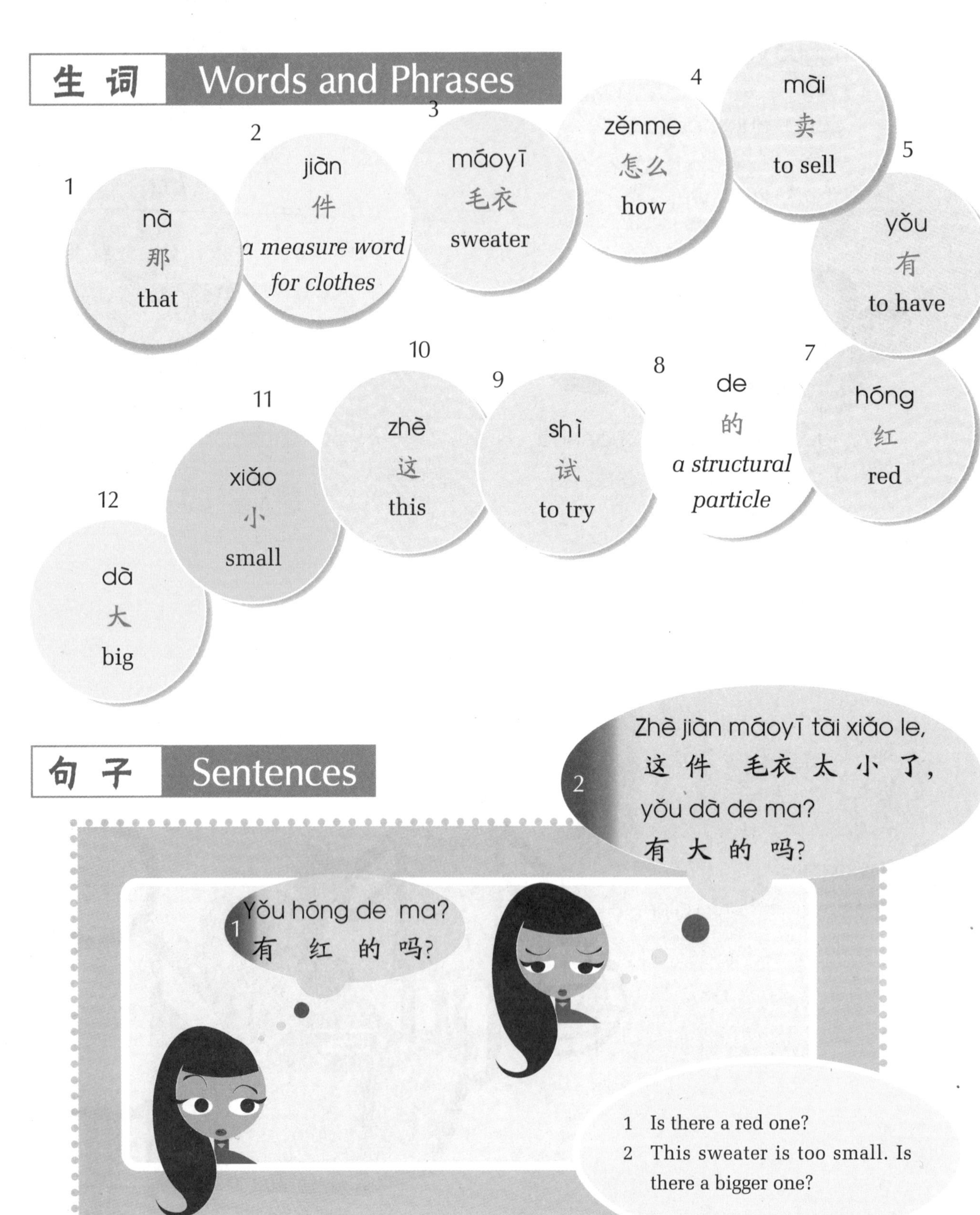
生词 Words and Phrases
1 nà 那 that
2 jiàn 件 a measure word for clothes
3 máoyī 毛衣 sweater
4 zěnme 怎么 how
mài 卖 to sell
5 yǒu 有 to have
7 hóng 红 red
8 de 的 a structural particle
9 shì 试 to try
10 zhè 这 this
11 xiǎo 小 small
12 dà 大 big
句子 Sentences
1 Yǒu hóng de ma?
有红的吗？
2 Zhè jiàn máoyī tài xiǎo le,
这件毛衣太小了，
yǒu dà de ma?
有大的吗？
1 Is there a red one?
2 This sweater is too small. Is there a bigger one?

会 话 Dialogue

(珍妮在一个市场里买衣服。)
(Jenny is buying clothes in a market.)

Zhēnnī: Nà jiàn máoyī zěnme mài?
珍妮： 那 件[6] 毛衣 怎么 卖？

mài yīfu de rén: Liǎngbǎi bā.
卖衣服的人： 两百 八。

Zhēnnī: Yǒu hóng de ma?
珍妮： 有 红 的[7] 吗？

mài yīfu de rén: Yǒu.
卖衣服的人： 有。

Zhēnnī: Wǒ shìshi, xíng ma?
珍妮： 我试试，行 吗？

mài yīfu de rén: Xíng.
卖衣服的人： 行。

Zhēnnī: Zhè jiàn máoyī tài xiǎo le, yǒu dà de ma?
珍妮： 这 件 毛衣 太 小 了，有 大 的 吗？

mài yīfu de rén: Nǐ shìshi zhè jiàn.
卖衣服的人： 你 试试[8] 这 件。

Zhēnní: Zhè jiàn hěn hǎo.
珍妮： 这 件 很 好。

注释 Notes

件[6] The "jiàn" here is used as the measure word (liàngcí) for clothes. In modern Chinese, a number can't be used alone before a noun. It usually combines with a measure word inserted between the number and the noun. Each noun has its own specific measure word and can't combine freely with others. "Gè" is the most commonly used one.

的[7] In Chinese, a noun, a verb, an adjective or a pronoun plus the structural particle "de" can form a "de" structure. A "de" structure functions grammatically as a noun, and it should be used when the context is clear. "Hóng de" here means "hóng de máoyī".

试试[8] In Chinese, some verbs can be reduplicated to make a sentence sound soft or informal, to indicate that the action is of very short duration, or to reply that what is done is just for the purpose of trial.

Jenny:	How much does the sweater cost?
Clothes Seller:	Two hundred and eighty.
Jenny:	Is there a red one?
Clothes Seller:	Yes, there is.
Jenny:	Can I try it on?
Clothes Seller:	Yes.
Jenny:	This sweater is too small. Is there a bigger one?
Clothes Seller:	Please try this one.
Jenny:	This one is pretty good.

活动 Activities

读一读然后连线
Read and match

Nǐ mǎi shénme? 你 买 什么？	Sānshíbā kuài wǔ. 三十八 块 五。
Píngguǒ duōshao qián yì jīn? 苹果 多少 钱 一 斤？	Wǒ mǎi sān jīn. 我 买 三 斤。
Máoyī zěnme mài? 毛衣 怎么 卖？	Wǒ mǎi cǎoméi. 我 买 草莓。
Nǐ mǎi duōshao? 你 买 多少？	Sān kuài wǔ yì jīn. 三 块 五 一 斤。
Yígòng duōshao qián? 一共 多少 钱？	Èrbǎi liù. 二百 六。

看图说句子
Make sentences according to the pictures

hēi
黑

hóng
红

huáng
黄

bái
白

lǜ
绿

lán
蓝

huī
灰

Yǒu hóng de ma?
有 红 的 吗?

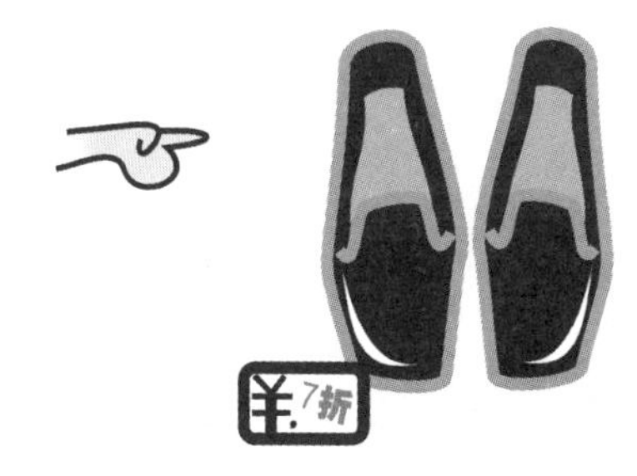

hēi
黑

huī
灰

huáng
黄

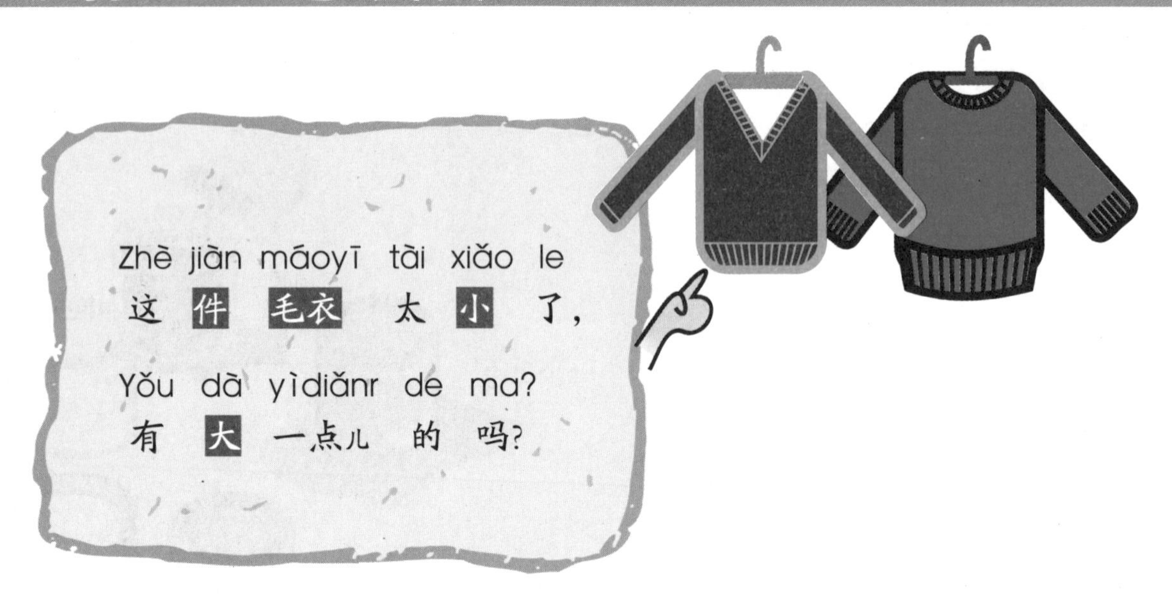

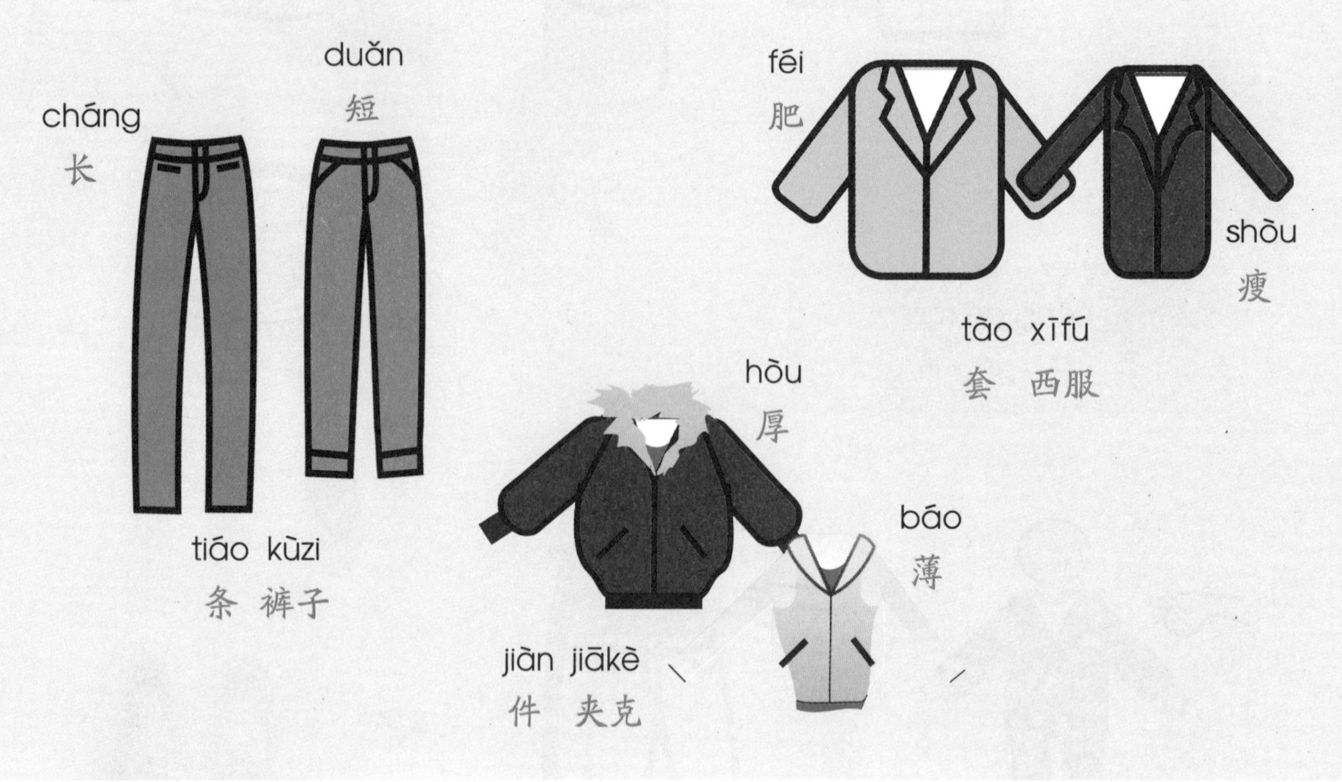

看图说句子

Make sentences according to the pictures

假如你参加如下活动，你会穿什么样的衣服去？

If you attend the following activities, what would you wear?

1. 公司的新年晚会
   company's New Year party

2. 周末和家人爬长城
climbing the Great Wall with the family on weekend

Wǒ chuān
我 穿……

听录音选择正确答案
Listen and choose the appropriate response

Tā mǎi shénme?
1. 1) 他 买 什么？

píngguǒ
a. 苹果

cǎoméi
b. 草莓

Duōshao qián yì jīn?
2) 多少 钱 一 斤？

shí kuài
a. 十块

shíwǔ kuài
b. 十五 块

Tā mǎi jǐ jīn?
3) 他 买 几 斤？

yì jīn
a. 一 斤

qī jīn
b. 七 斤

Máoyī zěnme mài?
2. 1) 毛衣 怎么 卖？

yìbǎi bā
a. 一百 八

sānbǎi bā
b. 三百 八

认汉字
Characters

店

shāngdiàn
shop, department store

shōuyíntái
收银台
cashier

bā zhé
20% off

你知道吗?

Do You Know?

很多中国人不喜欢数字"4",因为"4"的发音和"死"相近。可是很喜欢"8",因为"8"的发音和"发"相近,"发"有发财、发达的意思。但是也有很多人不在乎。

A lot of Chinese people do not like the number "4", as the pronunciation of "4" in Chinese is similar to the pronunciation of the character which means "dead". They much prefer the number "8", as the pronunciation of "8" in Chinese is similar to the pronunciation of "fa"(getting rich). However, many others do not care.

补充词语表 Supplementary Words & Phrases

面包	miànbāo	bread
可口可乐	kěkǒukělè	coca cola
啤酒	píjiǔ	beer
牛奶	niúnǎi	milk
橙子	chéngzi	orange
葡萄	pútáo	grape
荔枝	lìzhī	lichi, lychee
黄瓜	huángguā	cucumber
西红柿	xīhóngshì	tomato
胡萝卜	húluóbo	carrot
蘑菇	mógu	mushroom
西兰花	xīlánhuā	broccoli
洋葱	yángcōng	onion
毛	máo	mao,jiao *(the fractional monetary unit of China, = 1/10 of a yuan)*
分	fēn	fen *(the fractional monetary unit of China, =1/10 of a mao or jiao)*

颜色	yánsè	colors
绿	lǜ	green
蓝	lán	blue
黄	huáng	yellow
黑	hēi	black
白	bái	white
灰	huī	grey

穿	chuān	to wear
裤子	kùzi	pants
西服	xīfú	suit
夹克	jiākè	jacket
牛仔裤	niúzǎikù	jeans
T恤	T xù	T-shirt
衬衫	chènshān	shirt
套裙	tàoqún	dress
皮鞋	píxié	leather shoes
旅游鞋	lǚyóuxié	sneaker; walking shoes

条	tiáo	*a measure word*
短	duǎn	short
长	cháng	long
套	tào	*a measure word*
瘦	shòu	thin
肥	féi	loose
薄	báo	thin
厚	hòu	thick

UNIT 4

Yào yí gè gōngbǎo jīdīng

要一个宫保鸡丁

I'd like a fried diced chicken with peanuts

学习目标 Objectives

- 学会点菜、提要求、结账 Learning how to order food, make requests and pay the bill

要一个宫保鸡丁

热身 Warm-Up

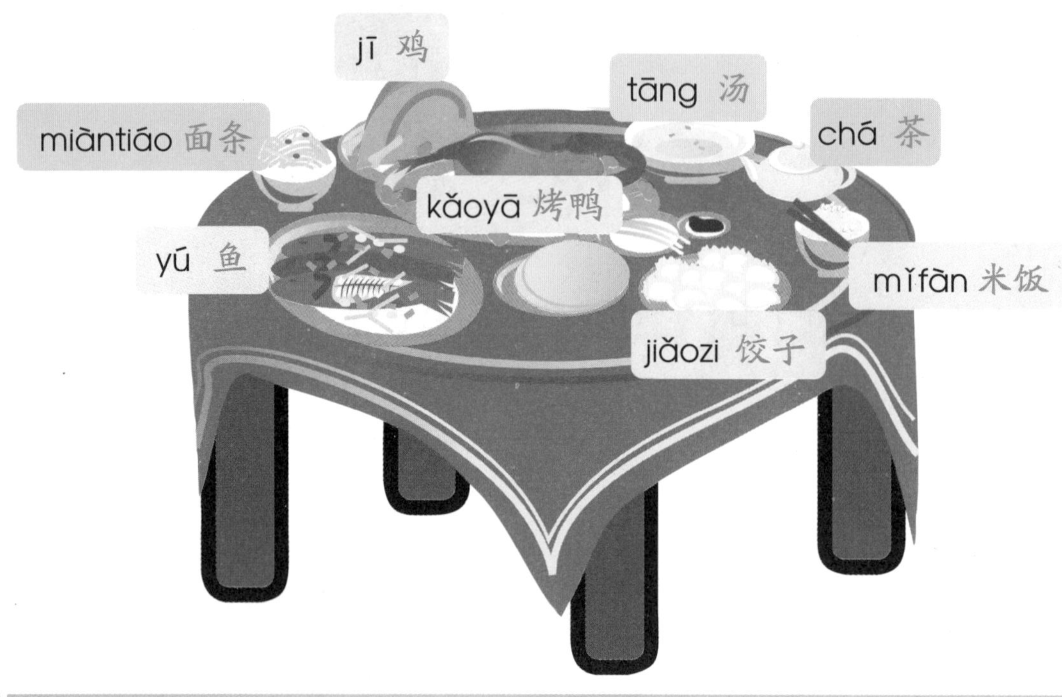

第一部分

生词 Words and Phrases

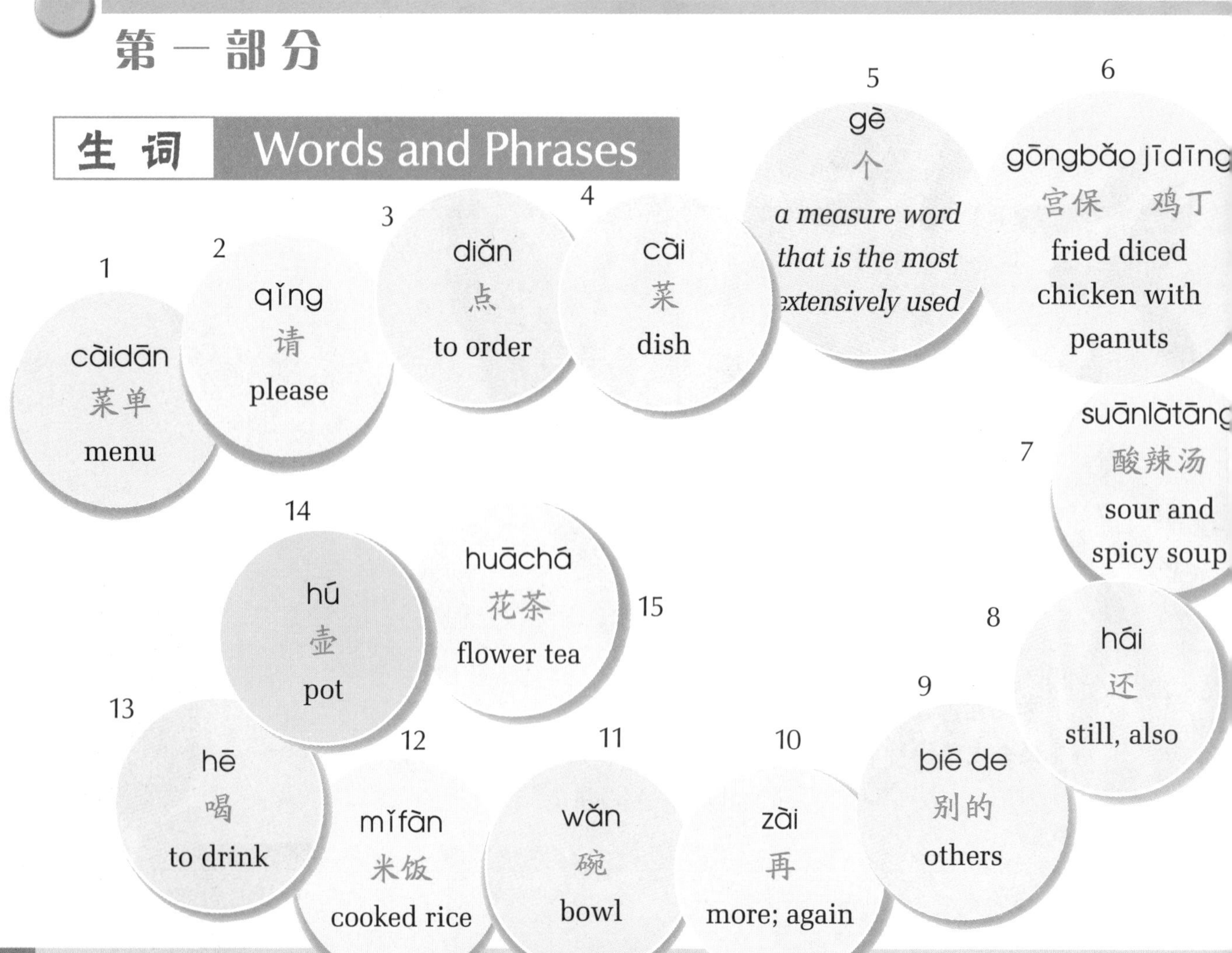

句子 Sentences

会话 Dialogue

Waitress: This is the menu. Please order.

Martin: I'd like a fried diced chicken with peanuts, and sour and spicy soup.

Waitress: Anything else?

Martin: Add a bowl of rice.

Waitress: What would you like to drink?

Martin: A pot of flower tea.

fúwùyuán: Zhè shì càidān, qǐng diǎn cài.
服务员：这 是 菜单，请 点 菜。

Mǎdīng: Yào yí gè gōngbǎo jīdīng,
马丁：要 一 个 宫保 鸡丁，
yí gè suānlàtāng.
一 个 酸辣汤。

fúwùyuán: Hái yào bié de ma?
服务员：还 要 别 的 吗？

Mǎdīng: Zài yào yì wǎn mǐfàn.
马丁：再 要 一 碗 米饭。

fúwùyuán: Nín hē shénme?
服务员：您 喝 什么？

Mǎdīng: Yào yì hú huāchá.
马丁：要 一 壶 花茶。

活动 Activities

替换练习
Substitution

lì: Wǒ yào yí gè gōngbǎo jīdīng, zài yào yí gè suānlàtāng.
例：我 要 一 个 宫保 鸡丁，再 要 一 个 酸辣汤。

tángcùyú
糖醋鱼

mápó dòufu
麻婆 豆腐

kǎoyā
烤鸭

chǎomiàn
炒面

角色扮演
Role play

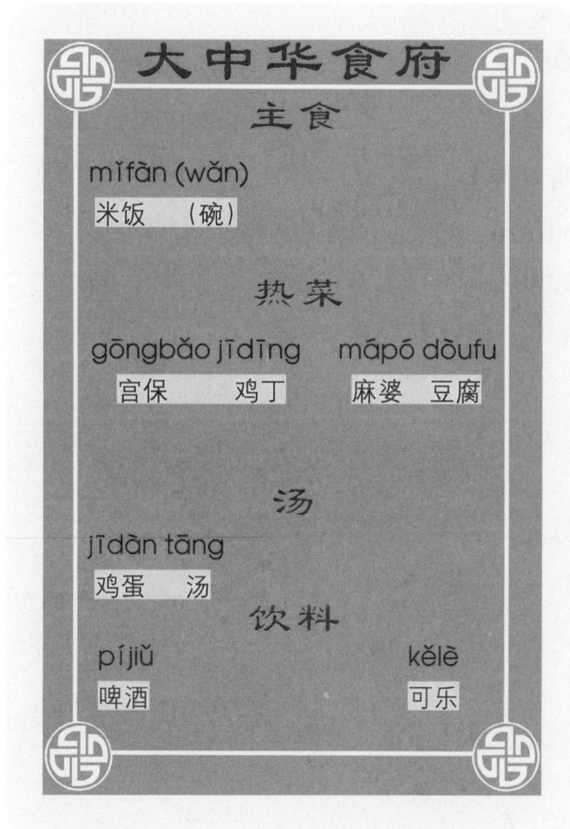

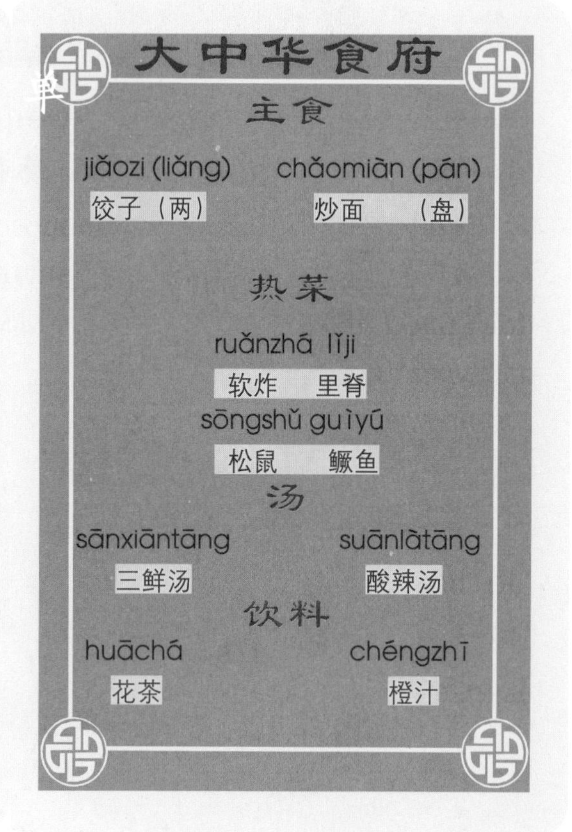

在饭馆，B在点菜。
A是服务员，B是顾客。
In a restaurant, B is ordering food.
A is a waitress, and B is a customer.

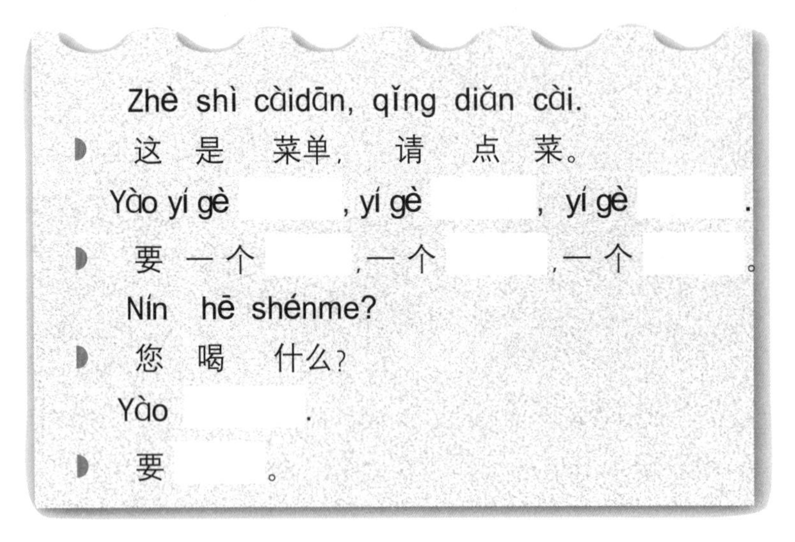

第二部分

生词 Words and Phrases

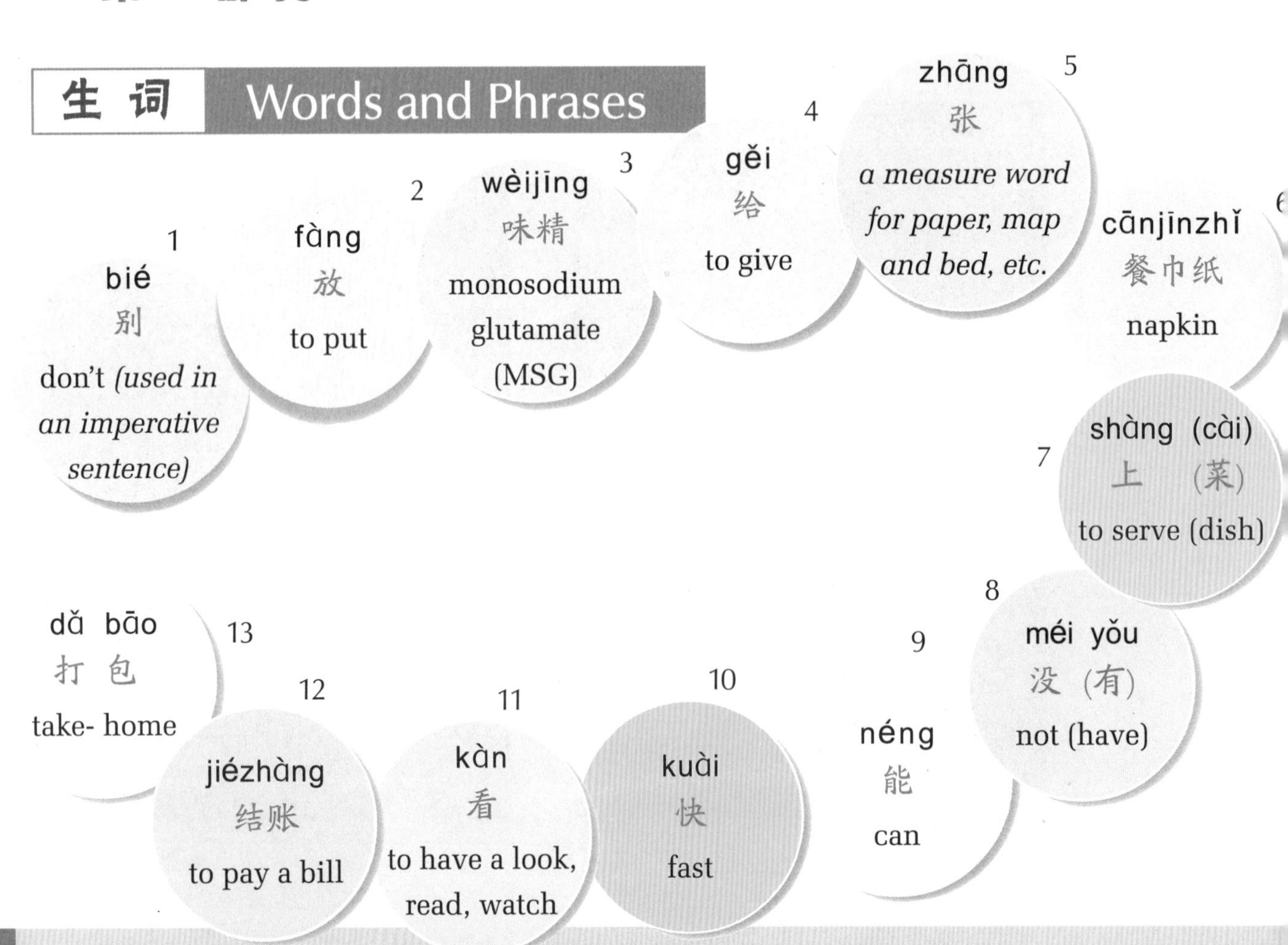

句子 Sentences

1 Qǐng gěi wǒ yì zhāng cānjīnzhǐ.
请 给我一 张 餐巾纸。

Zhè gè cài dǎbāo.
这个菜 打包。

1 Please give me a napkin.
2 Don't add MSG.
3 I'd like to take this dish home.

会话 Dialogue

Jenny:	Miss, don't add MSG.
Waitress:	OK.
Jenny:	Please give me a napkin.
Waitress:	OK, here you are.
...	
Jenny:	Miss, my dishes haven't been served yet. Can you make it faster?
Waitress:	I'll go to have a look.
...	
Jenny:	Miss, the bill, please.
Waitress:	Altogether it's 56 yuan.
Jenny:	I'd like to take this dish home.
Waitress:	OK.

（珍妮点完菜了。）

(Jenny has finished ordering food.)

Zhēnnī: Xiǎojiě, bié fàng wèijīng.
珍妮：小姐，别 放 味精。

xiǎojiě: Hǎo.
小姐：好。

Zhēnnī: Qǐng gěi wǒ yì zhāng cānjīnzhǐ.
珍妮：请 给 我 一 张 餐巾纸。

xiǎojiě: Hǎo. Gěi nín.
小姐：好。给您。

（半个小时后）

(Half an hour later)

Zhēnnī: Xiǎojiě, wǒ de cài hái méi shàng, néng kuài diǎnr ma?
珍妮：小姐，我 的 菜 还 没 上，能 快 点儿 吗[9]？

xiǎojiě: Wǒ qù kànkan.
小姐：我 去 看看。

（结账。）

(paying the bill.)

Zhēnnī: Xiǎojiě, jiézhàng.
珍妮：小姐，结账[10]。

xiǎojiě: Yígòng wǔshíliù kuài.
小姐：一共 56 块。

Zhēnnī: Zhè gè cài dǎbāo.
珍妮：这 个 菜 打包。

xiǎojiě: Hǎo.
小姐：好。

注释

Notes

能 快 点儿 吗[9] "Néng......ma?" is used to indicate a request.

结账[10] One can also use "mǎidān" to express the same meaning.

活动 Activities

把下面的句子放在适当的图画下
Match these sentences with the pictures

Dǎbāo. 打包。	Bié fàng wèijīng. 别放味精。	Jiézhàng. 结账。	Qǐng gěi wǒ yì zhāng cānjīnzhǐ. 请给我一张餐巾纸。

替换练习
Substitution

lì: Qǐng gěi wǒ yì zhāng cānjīnzhǐ.

1 例：请给我**一张餐巾纸**。

yí gè pánzi
一个盘子

yì zhī wǎn
一只碗

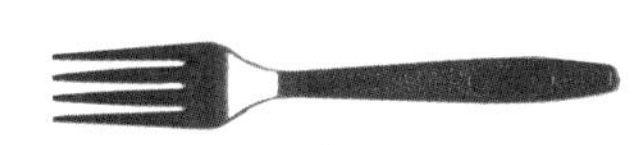

yì bǎ chāzi
一把叉子

yì bǎ sháozi
一把勺子

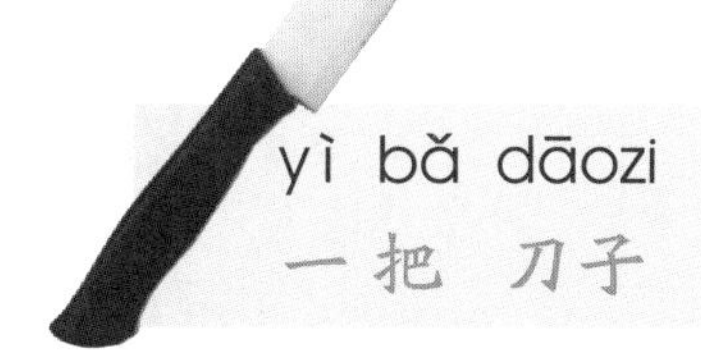

yì bǎ dāozi
一把刀子

yì shuāng kuàizi
一双筷子

lì: Bié fàng wèijīng.
2 例：别 放 味精。

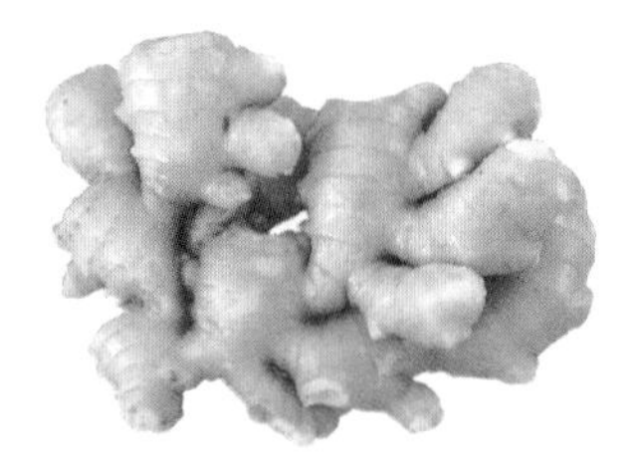

xiāngcài
香菜

làjiāo
辣椒

jiāng
姜

角色扮演
Role play

A 是顾客，B 是服务员。
A 点菜、提出要求和结账。
A is a customer, and B is a waitress.
A is ordering food, making requests and paying the bill.

听录音判断对错
Listen and decide Ture or False

Tā yào miàntiáo.
1 她 要 面条。（ ）

Tā yào yí gè pánzi.
2 她 要 一 个 盘子。（ ）

认汉字
Characters

Quánjùdé
全聚德
Quanjude

càidān
菜单 menu

你知道吗？

Do You Know?

中国八大菜系：山东菜、四川菜、广东菜、江苏菜、浙江菜、福建菜、湖南菜、安徽菜。

The top eight Chinese cuisine styles: Shandong cuisine, Sichuan cuisine, Guangdong cuisine, Jiangsu cuisine, Zhejiang cuisine, Fujian cuisine, Hunan cuisine and Anhui cuisine.

补充词语表 Supplementary Words & Phrases

鱼	yú	fish
面条	miàntiáo	noodle
鸡	jī	chicken
烤鸭	kǎoyā	roast duck
汤	tāng	soup
茶	chá	tea
饺子	jiǎozi	dumpling

把	bǎ	*a measure word*
叉子	chāzi	fork
勺子	sháozi	spoon
刀子	dāozi	knife

盘子	pánzi	plate
只	zhī	*a measure word*
双	shuāng	a pair of
筷子	kuàizi	chopsticks
辣椒	làjiāo	pepper
香菜	xiāngcài	caraway
姜	jiāng	ginger

糖醋鱼	tángcùyú	sweet and sour fish
麻婆豆腐	mápó dòufu	fried beancurd with chilli sause
炒面	chǎomiàn	fried noodle
软炸里脊	ruǎnzhá lǐji	quick fried tenderloin
松鼠鳜鱼	sōngshǔ guìyú	squirrel sample fish
鸡蛋汤	jīdàntāng	egg soup
三鲜汤	sānxiāntāng	three delicious soup
橙汁	chéngzhī	orange juice
两	liǎng	*a measure word=50 grams*
盘	pán	a *measure word, a plate of*

UNIT 5

Nǐ zài nǎr gōngzuò?
你在哪儿工作？
What do you do?

学习目标 Objectives

- 学会询问家庭情况、职业和年龄
  Learning how to talk about family, occupations and age

热身 Warm-Up

zhàngfu qīzi
丈夫 — 妻子

fùqīn érzi
父亲 — 儿子

mǔqīn nǚ'ér
母亲 — 女儿

gēge mèimei
哥哥 — 妹妹

第一部分

生词 Words and Phrases

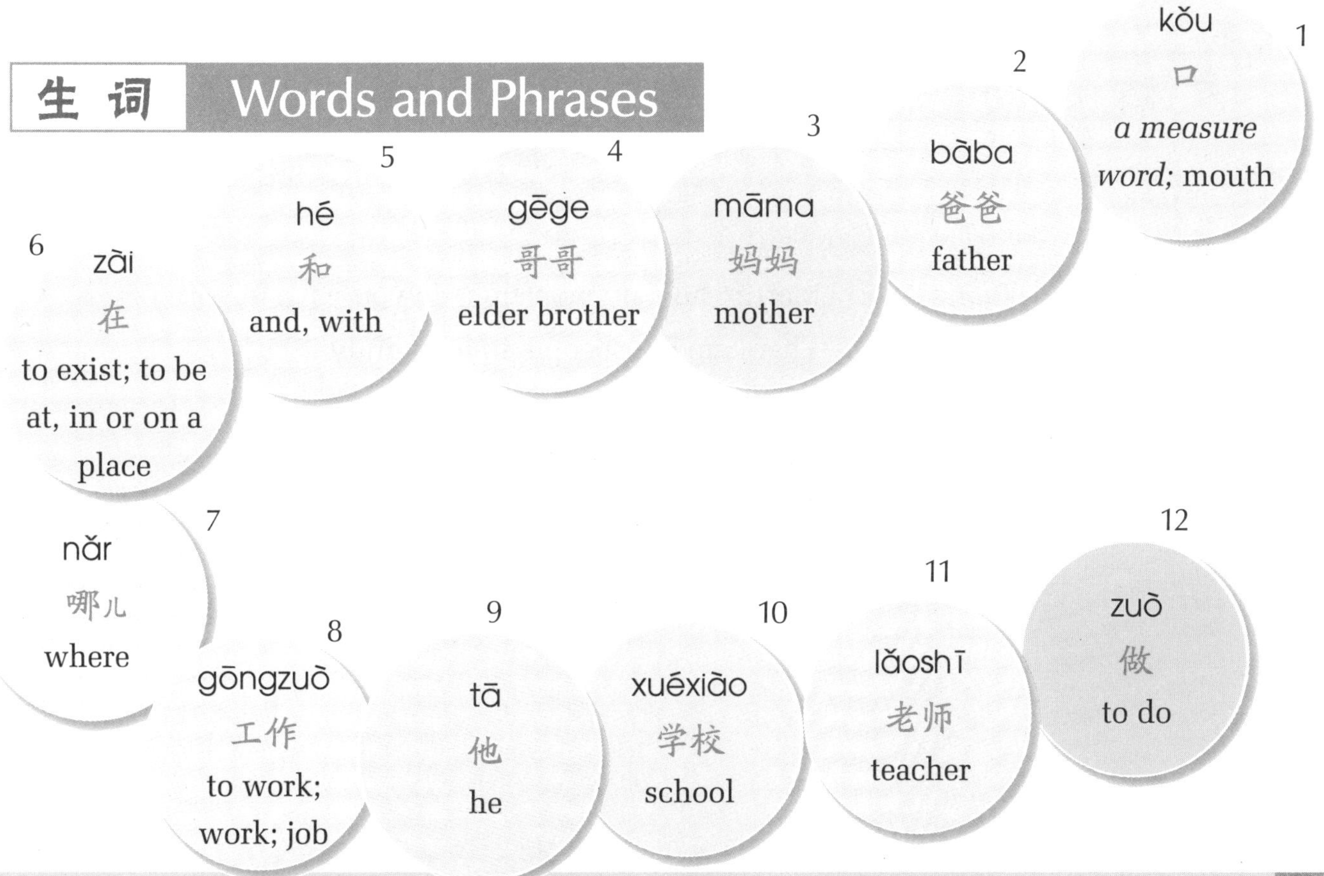

1. kǒu 口 *a measure word;* mouth
2. bàba 爸爸 father
3. māma 妈妈 mother
4. gēge 哥哥 elder brother
5. hé 和 and, with
6. zài 在 to exist; to be at, in or on a place
7. nǎr 哪儿 where
8. gōngzuò 工作 to work; work; job
9. tā 他 he
10. xuéxiào 学校 school
11. lǎoshī 老师 teacher
12. zuò 做 to do

句子 Sentences

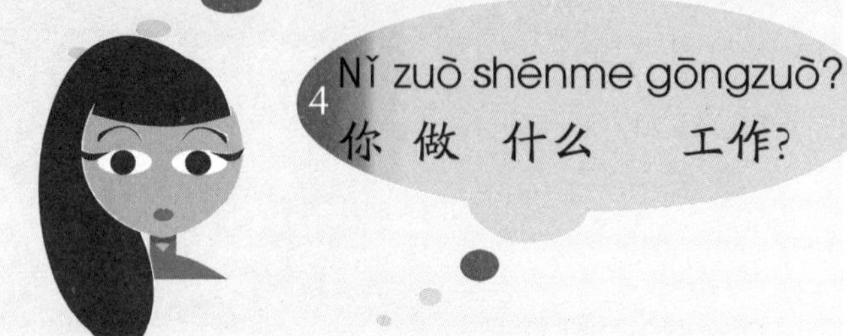

1 How many people are there in your family?
2 Who are your family members?
3 Where do you work?
4 What do you do?
5 He works at school. He is a teacher.

会话 Dialogue

Zhang Hua: Martin, how many people do you have in your family?
Martin: There are four people in my family.
Zhang Hua: Who are your family members?
Martin: My father, mother, elder brother and me.
Zhang Hua: What does your elder brother do?
Martin: He works at a school. He is a teacher.

Zhāng Huá: Mǎdīng, Nǐ jiā yǒu jǐ kǒu rén?
张华： 马丁，你家有[11]几口人？

Mǎdīng: Wǒ jiā yǒu sì kǒu rén.
马丁： 我家有四口人。

Zhāng Huá: Nǐ jiā yǒu shénme rén?
张华： 你家有什么人？

Mǎdīng: Bàba、māma, gēge hé wǒ.
马丁： 爸爸、妈妈，哥哥和我。

Zhāng Huá: Nǐ gēge zài nǎr gōngzuò?
张华： 你哥哥在哪儿工作？

Mǎdīng: Tā zài xuéxiào gōngzuò. Tā shì lǎoshī.
马丁： 他在学校工作。他是老师。

注释

Notes

有[11] The negative form of "yǒu" is "méiyǒu".

活动 Activities

语音练习
Listen and read

yéye	———	nǎinai
bàba	———	māma
gēge	———	jiějie
dìdi	———	mèimei

完成对话
Complete the dialogues according to the pictures

Nǐ jiā yǒu jǐ kǒu rén?
你家有几口人？
______。

Nǐ jiā yǒu shénme rén?
你家有什么人？
______。

替换练习
Substitution

1 学下面的词语——职业
Learn the following words — Occupations

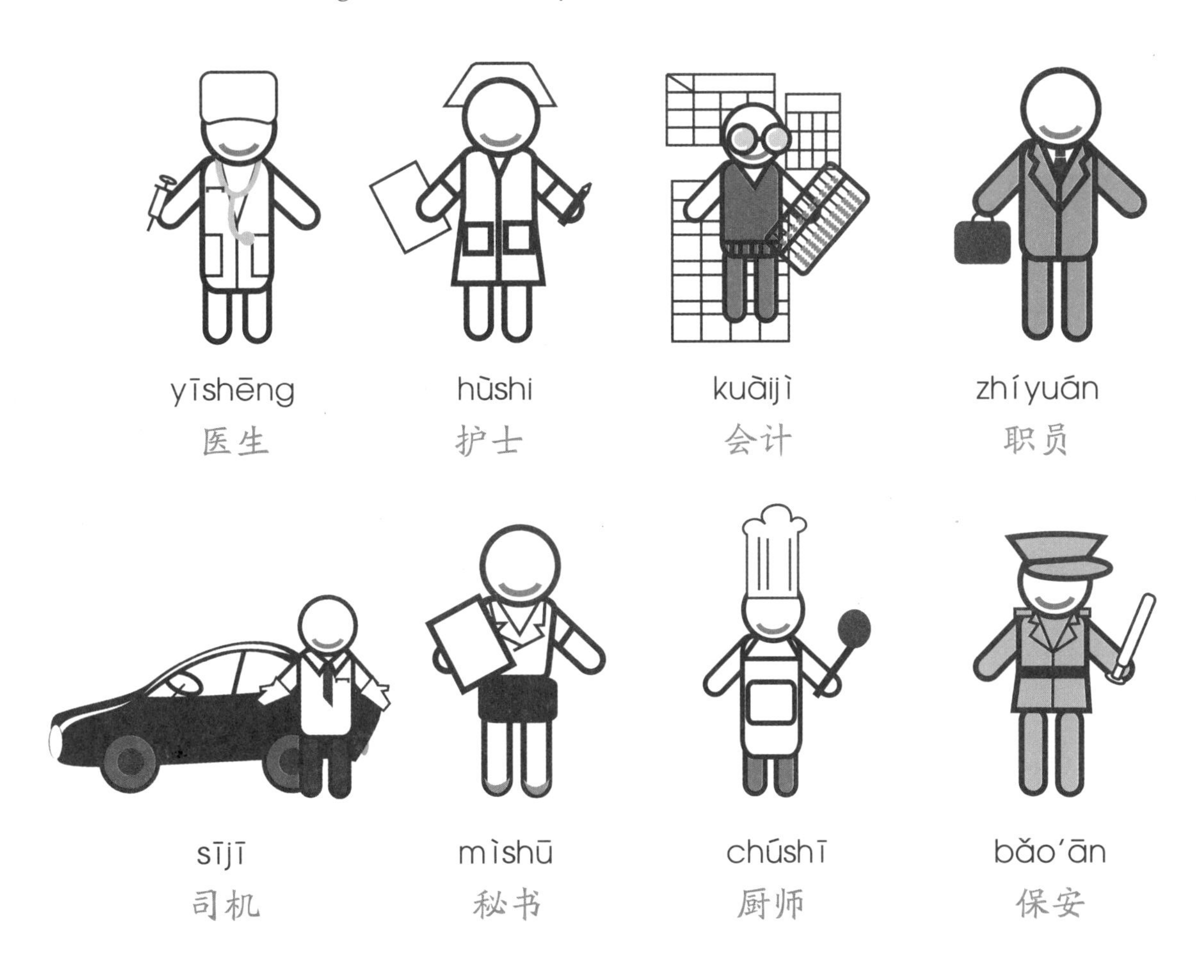

yīshēng	hùshi	kuàijì	zhíyuán
医生	护士	会计	职员

sījī	mìshū	chúshī	bǎo'ān
司机	秘书	厨师	保安

2 学下面的词语——地点
Learn the following words — Places

fàndiàn	dàshǐguǎn	yīyuàn	gōngsī
饭店	大使馆	医院	公司

3 模仿造句

Make sentences after the following model

Tā zāi yīyuàn gōngzuò, tā shì yīshēng.

她 在 医院 工作，她 是 医生。

第二部分

生词 Words and Phrases

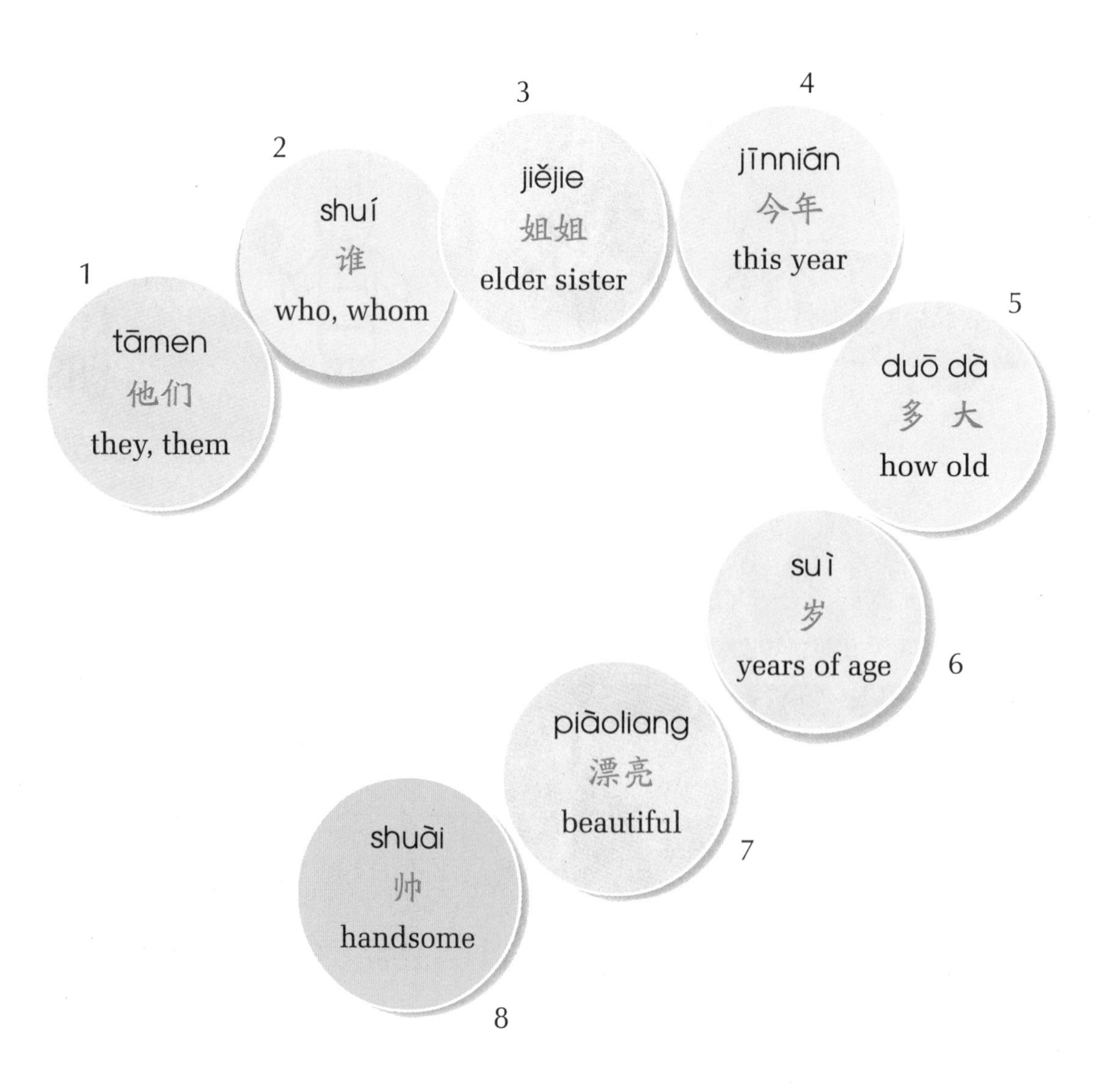

句子 Sentences

1 Nǐ jīnnián duō dà?
你 今年 多 大?

2 Wǒ jīnnián sānshí suì.
我 今年 三十 岁。

3 Nǐ jiějie hěn piàoliang.
你姐姐 很 漂亮。

1 How old are you this year?
2 I'm 30 this year.
3 Your elder sister is beautiful.

会话 Dialogue

Song Lili: Who are they?
Jenny: This is my elder sister, and that is my elder brother.
Song Lili: How old are they?
Jenny: My elder sister is 35 , and my elder brother is 30.
Song Lili: Your sister is very beautiful, and your brother is very handsome.

(宋丽丽和珍妮正在看照片。)
(Song Lili and Jenny are looking at a picture.)

Sòng Lìli: Tāmen shì shuí?
宋丽丽: 他们 是 谁?

Zhēnnī: Zhè shì wǒ jiějie. Nà shì wǒ gēge.
珍妮: 这 是 我 姐姐。那 是 我 哥哥。

Sòng Lìli: Nǐ gēge jīnnián duō dà?
宋丽丽: 你哥哥 今年 多 大[12]?

Zhēnnī: wǒ gēge sānshí suì, Wǒ jiějie jīnnián sānshíwǔ suì.
珍妮：我 哥哥 三十 岁，我 姐姐 今年 三十五 岁。

Sòng Lìli: Nǐ jiějie hěn piàoliang, Nǐ gēge yě hěn shuài.
宋丽丽：你 姐姐 很 漂亮[13]，你 哥哥 也 很 帅。

注释

Notes

你哥哥 今年 多 大[12] This is the way we ask the age of an adult. "Nín jīnnián duō dà niánjì?" is used to ask older people; "Nǐ jīnnián jǐ suì?" is used to ask a child.

漂亮[13] An adjective can be used as a predicate without the verb "shì".

活动 Activities

读一读然后连线
Read and match

Nǐ jīnnián jǐ suì? 你 今年 几 岁？	Wǒ sìshí suì. 我 四十 岁。
Nín jīnnián duō dà niánjì? 您 今年 多 大 年纪？	Wǒ qī suì. 我 七 岁。
Nǐ jīnnián duō dà? 你 今年 多 大？	Wǒ bāshí suì. 我 八十 岁。

问与答
Ask and answer

Nǐ yǒu jiějie ma? 你 有 姐姐 吗?	
	Wǒ méi yǒu gēge. 我 没 有 哥哥。
Nǐ yǒu jǐ gè dìdi? 你 有 几 个 弟弟?	
	Wǒ yǒu liǎng gè mèimei. 我 有 两 个 妹妹。

替换练习
Substitution

1. Tā hěn ______. Tā hěn ______.
   他 很 ______。他 很 ______。

2. Tā hěn ______. Tā hěn ______.
   他 很 ______。她 很 ______。

pàng 胖	shòu 瘦
gāo 高	ǎi 矮
kě'ài 可爱	cōngmíng 聪明

3. Tā hěn ______.
   她 很 ______。

4. Tā hěn ______.
   他 很 ______。

听录音选择正确答案

Listen and choose the appropriate response

Tāngmǔ yǒu yí gè gēge hé yí gè mèimei.
1. a. 汤姆 有 一 个 哥哥 和 一 个 妹妹。
Tāngmǔ yǒu yí gè jiějie hé yí gè dìdi.
b. 汤姆 有 一 个 姐姐 和 一 个 弟弟。

Xiǎo Míng jīnnián jiǔ suì.
2. a. 小 明 今年 九 岁。
Xiǎo Míng jīnnián liù suì.
b. 小 明 今年 六 岁。

认汉字

Characters

Běijīng Dàxué
北京 大学
Peking University

Zhōngguó Yínháng
中国 银行
Bank of China

你知道吗？

Do You Know?

对中国人来说，家庭情况和年龄虽然是隐私，但是朋友间可以询问。

Chinese people will not be offended when they are asked questions about their family or age if the conversation is amorg the friends.

补充词语表 Supplementary Words & Phrases

医生	yīshēng	doctor
护士	hùshi	nurse
会计	kuàijì	accountant
职员	zhíyuán	staff member
司机	sījī	driver
秘书	mìshū	secretary
厨师	chúshī	cook; chef
保安	bǎo'ān	security guard

可爱	kě'ài	cute; lovely
聪明	cōngmíng	clever
高	gāo	tall; high
矮	ǎi	short
胖	pàng	fat

父亲	fùqīn	father
母亲	mǔqīn	mother
丈夫	zhàngfu	husband
妻子	qīzi	wife
爷爷	yéye	grandpa
奶奶	nǎinai	grandma
弟弟	dìdi	younger brother
妹妹	mèimei	younger sister
儿子	érzi	son
女儿	nǚ'ér	daughter
年纪	niánjì	age

饭店	fàndiàn	hotel
大使馆	dàshǐguǎn	embassy
医院	yīyuàn	hospital
公司	gōngsī	company

UNIT 6

Zhēnnī zài ma?

珍妮 在 吗?

Is Jenny in?

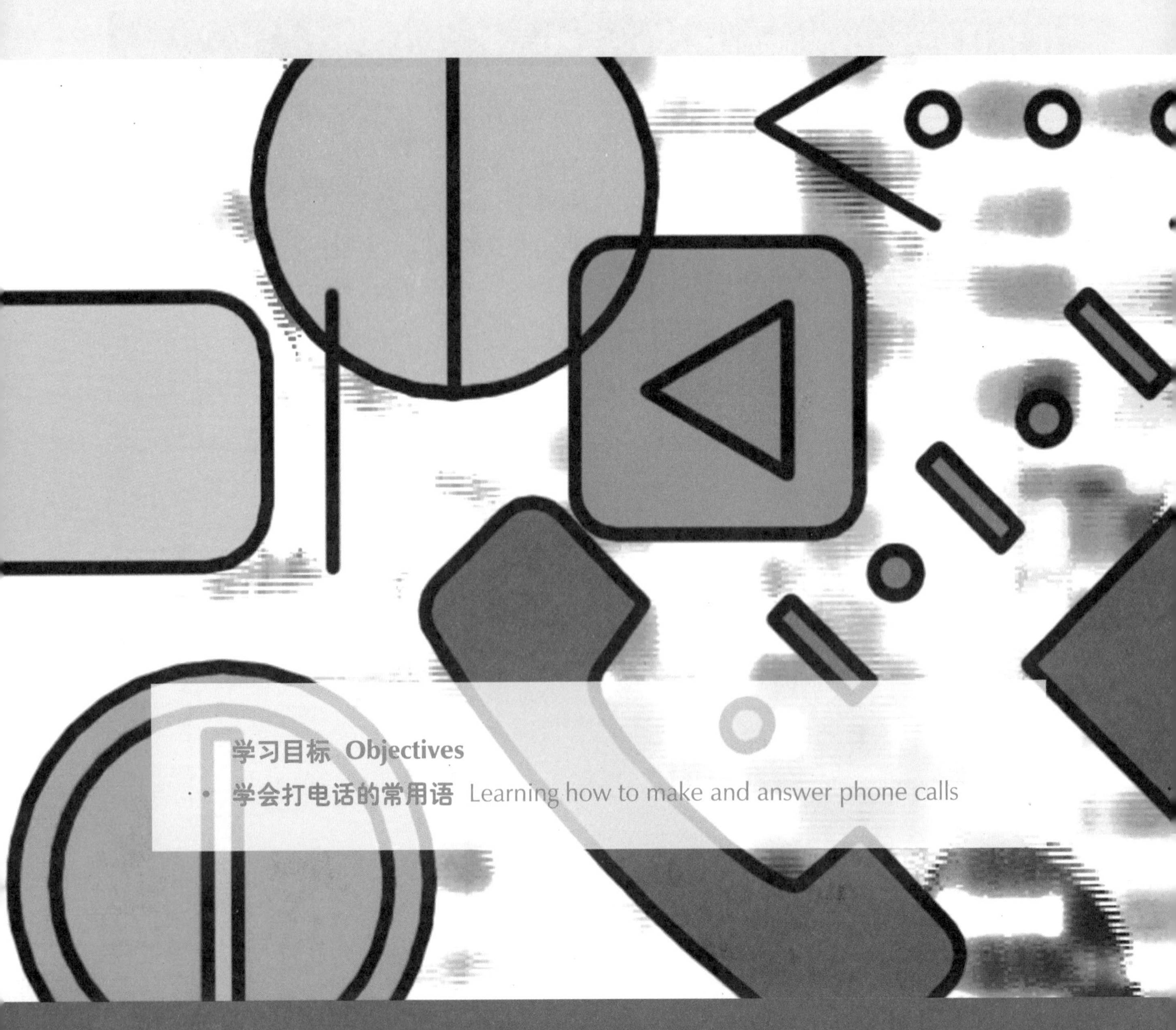

学习目标 Objectives

- 学会打电话的常用语 Learning how to make and answer phone calls

热身 Warm-Up

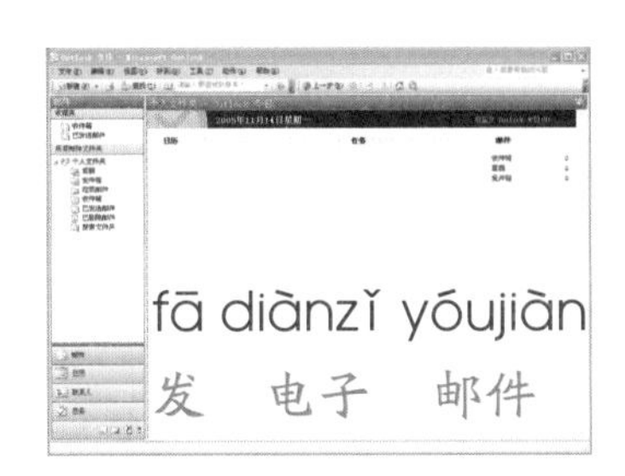

fā diànzǐ yóujiàn
发 电子 邮件

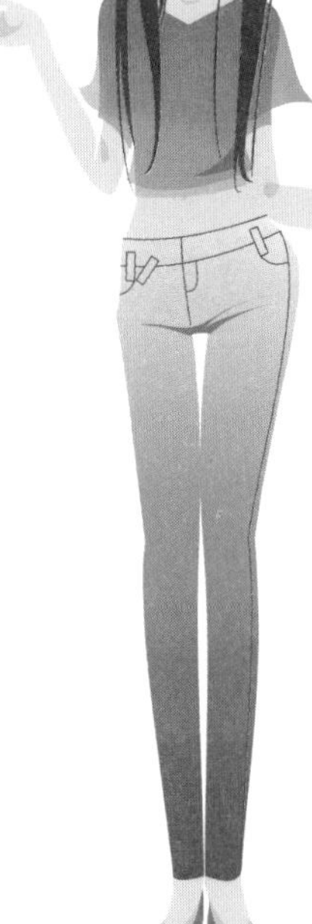

dǎ diànhuà
打 电话

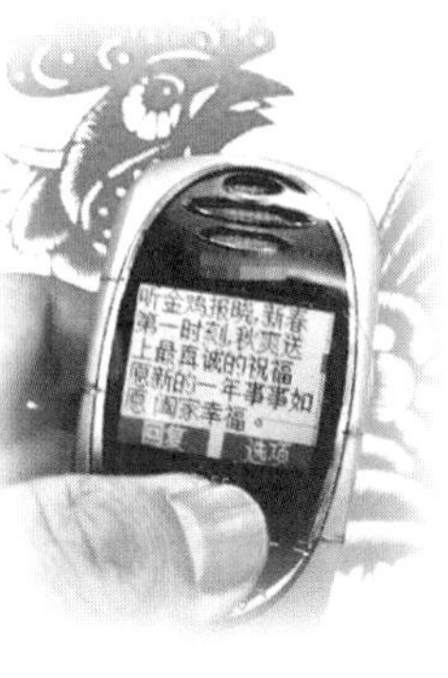

fā duǎnxìn
发 短信

fā chuánzhēn
发 传真

第一部分

生词 Words and Phrases

1. wèi 喂 hello *(typically used for answering a phone call)*
2. zhǎo 找 to look for
3. shāo děng 稍等 to wait a moment
4. jiù 就 just, exactly
5. dǎ (diànhuà) 打(电话) to make (a phone call)
6. cuò 错 wrong

句子 Sentences

1 Whom do you want to speak to?
2 Is Mr. Martin in?
3 Wait a moment, please.
4 (Martin) speaking.
5 You have the wrong number.

会话 Dialogue

A: Hello?
B: Hello! Whom do you want to speak to?
A: Martin, please. Is he in?
B: Yes, wait a moment please.

A: Is Martin in?
B: Speaking.

A: Is that Mr. Wang?
B: You have the wrong number.

Wèi? Nǐ hǎo!
A：喂？你 好！

Wèi! Nín zhǎo shuí?
B：喂！您 找 谁？

Wǒ zhǎo Mǎdīng. Tā zài ma?
A：我 找 马丁。他 在 吗？

Zài, qǐng shāo děng.
B：在，请 稍 等。

Mǎdīng zài bú zài?
A：马丁 在不在[14]？

Wǒ jiù shì.
B：我 就[15]是。

Shì Wáng xiānsheng ma?
A：是 王 先生 吗？

Nǐ dǎ cuò le.
B：你 打 错 了。

注释

Notes

在不在[14] The affirmative and negative form of a verb or an adjective in Chinese can make an affirmative-negative question which grammatically functions as a general question , but without "ma" at the end of the sentence.

就[15] "Jiù" here stresses the person who is answering the phone is exactly the person whom the speaker wants to speak to.

活动 Activities

语音练习
Listen and read

dǎ diànhuà —— tàng tóufa
shāo děng —— Xiǎo Dīng
shǒujī —— jiǔxí
chuánzhēn —— zhuānchéng

读一读然后连线
Read and match

Nǐ zhǎo shuí? 你 找 谁？	Wǒ jiù shì. 我 就 是。
Sòng Lìli zài ma? 宋 丽丽 在 吗？	Wǒ zhǎo Zhēnnī. 我 找 珍妮。
Shì Zhāng Huá ma? 是 张 华 吗？	Nǐ dǎ cuò le. 你 打 错 了。

看图说句子
Make sentences according to the pictures

chī (kǎoyā)
吃 (烤鸭)

Mǎdīng zài bú zài?
马丁 在 不 在？

qù (Chángchéng)
去 (长城)

mǎi (shǒujī)
买 (手机)

第二部分

生词 Words and Phrases

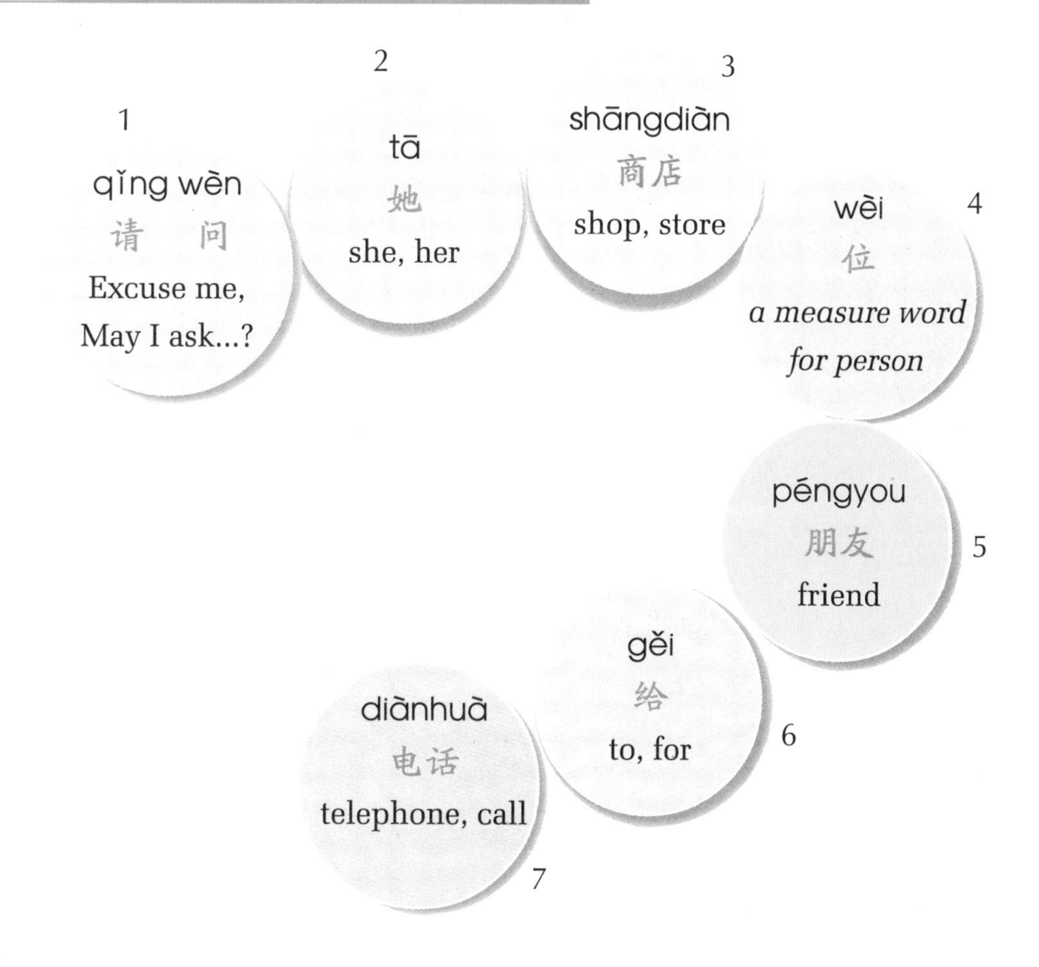

句子 Sentences

1 Tā qù shāngdiàn le.
她去　商店　了。

Wǒ shì tā de péngyou Zhāng Huá.
我是她的朋友　张　华。2
Qǐng tā gěi wǒ huí diànhuà.
请　她给我回　电话。

1 She's gone shopping.

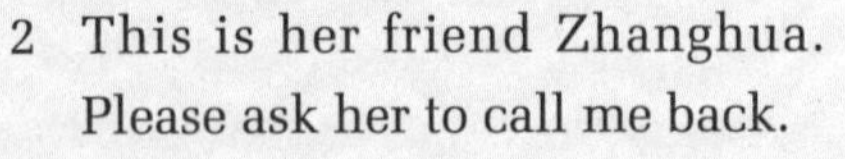

2 This is her friend Zhanghua.
Please ask her to call me back.

会话 Dialogue

（珍妮不在家，她的朋友给她打电话，接电话的是阿姨。）

(A friend of Jenny's is calling her, but she is not at home. Her Ayi answers the phone.)

péngyou: Wèi? Nǐ hǎo! Qǐng wèn, Zhēnnī zài ma?
朋友: 喂？你　好！请　问，珍妮　在　吗？

āyí: Tā qù shāngdiàn le.
阿姨: 她去　商店　了[16]。

Nín nǎ wèi?
您　哪　位？

注释 Notes

了[16] "Le" in this sentence indicates that the event referred to has already taken place. The negative form of sentences of this type adds "méi" or "méiyǒu" before the verb and omits "le".

péngyou: Wǒ shì tā de péngyou Zhāng Huá. Qǐng tā gěi wǒ huí diànhuà.
朋友: 我是她的朋友 张 华。请 她给我回 电话。

āyí: Nín de diànhuà shì duōshao?
阿姨: 您 的 电话 是 多少?

péngyou: Yāosānliùlíngyāo'èrsānqīsìsìwǔ.
朋友: 13601237445[17]。

注释 Notes

13601237445[17] Number "1" should be pronounced "yāo", instead of "yī", when it is used in telephone number, room numbers and car numbers, etc.

Friend: Hello, is Jenny in?
Ayi: She's gone shopping. Who is speaking?
Friend: This is her friend Zhang Hua. Please ask her to call me back.
Ayi: What's your telephone number?
Friend: 13601237445.

活动 Activities

看图完成对话
Complete the dialogue according to the pictures

Zhēnnī zài ma?
珍妮 在 吗?

Tā qù shāngdiàn le.
她 去 商店 了。

Dàwèi yínháng
大卫 银行

Mǎlì bàngōngshì
玛丽 办公室

Xiǎo Wáng fēijīchǎng
小 王 飞机场

看图说句子
Make sentences according to the pictures

Qǐng tā gěi wǒ huí diànhuà.
请 她 给 我 回 电话。

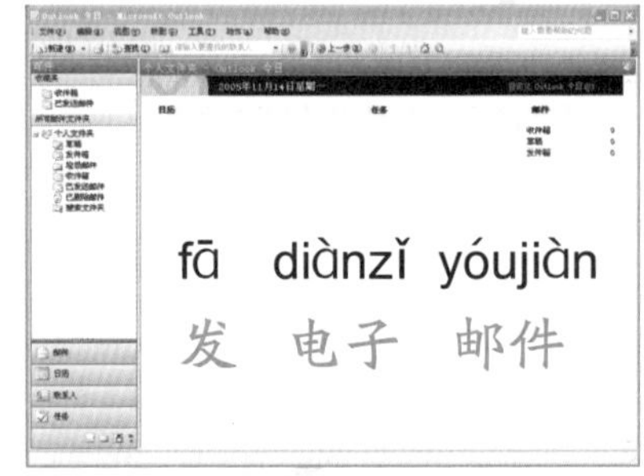

fā diànzǐ yóujiàn
发 电子 邮件

fā chuánzhēn
发 传真

fā duǎnxìn
发 短信

听录音判断对错
Listen and decide True or False

Mǎdīng gěi Zhēnnī dǎ diànhuà, Zhēnnī bú zài.
1. 马丁 给 珍妮 打 电话， 珍妮 不 在。（ ）

Zhēnnī gěi Sòng Lìli dǎ diànhuà, Sòng Lìli bú zài.
2. 1) 珍妮 给 宋 丽丽 打 电话， 宋 丽丽 不 在。（ ）

Sòng Lìli gěi Zhēnnī dǎ diànhuà,
2) 宋 丽丽 给 珍妮 打 电话，

Zhēnnī qù fēijīchǎng le.
珍妮 去 飞机场 了。(　　　)

Sòng Lìli de diànhuà shì liùwǔsān'èrsānliùliùwǔ.
3) 宋 丽丽 的 电话 是 65323665。(　　　)

认汉字
Characters

gōngyòng diànhuà
公用 电话
public phone

guójì chángtú
国际 长途
IDD

kǎ
IP 卡
IP card

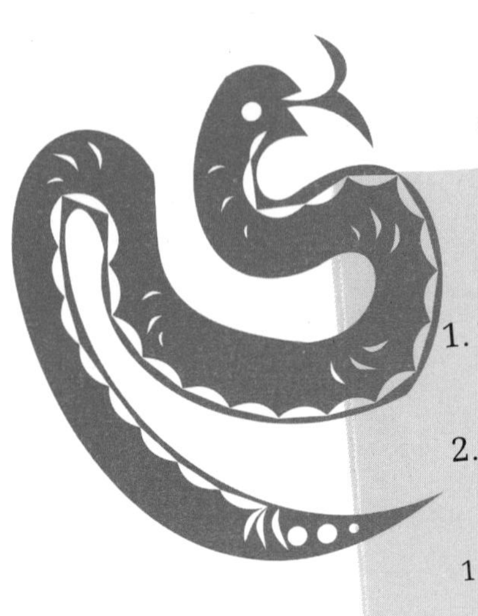

你知道吗？

Do You Know?

1. 中国人打电话时如想询问对方是谁，常说“您哪位”或“您哪儿？”而很少说“你是谁？”
2. 询问对方的电话号码说“您的电话是多少？”而不说“您的电话是什么？”

1. “Who's speaking” in English should not be translated "Shuí zāi shuōhuā" (Who's speaking), or "Shuí zāi nǎr" (Who's there), or "Nǐ shì shuí" (Who are you), but "Nín nǎ wèi" (You are which person) or "Nín nǎr" (You are calling from where).
2. To ask for one's telephone number in Chinese, you should say "Nín de diànhuà shì duōshao" (Your telephone number is how much), instead of "Nín de diànhuà shì shénme" (Your telephone

补充词语表 Supplementary Words & Phrases

银行	yínháng	bank
飞机场	fēijīchǎng	airport
办公室	bàngōngshì	office

发	fā	to send
传真	chuánzhēn	fax
短信	duǎnxìn	(sms) text message
电子邮件	diànzǐ yóujiàn	E-mail

长城	Chángchéng	the Great Wall

UNIT 7

Yìzhí zǒu

一直走

Go straight ahead

学习目标 Objectives

- **学会问路和指路的常用语** Learning how to ask for directions and places

热身 Warm-Up

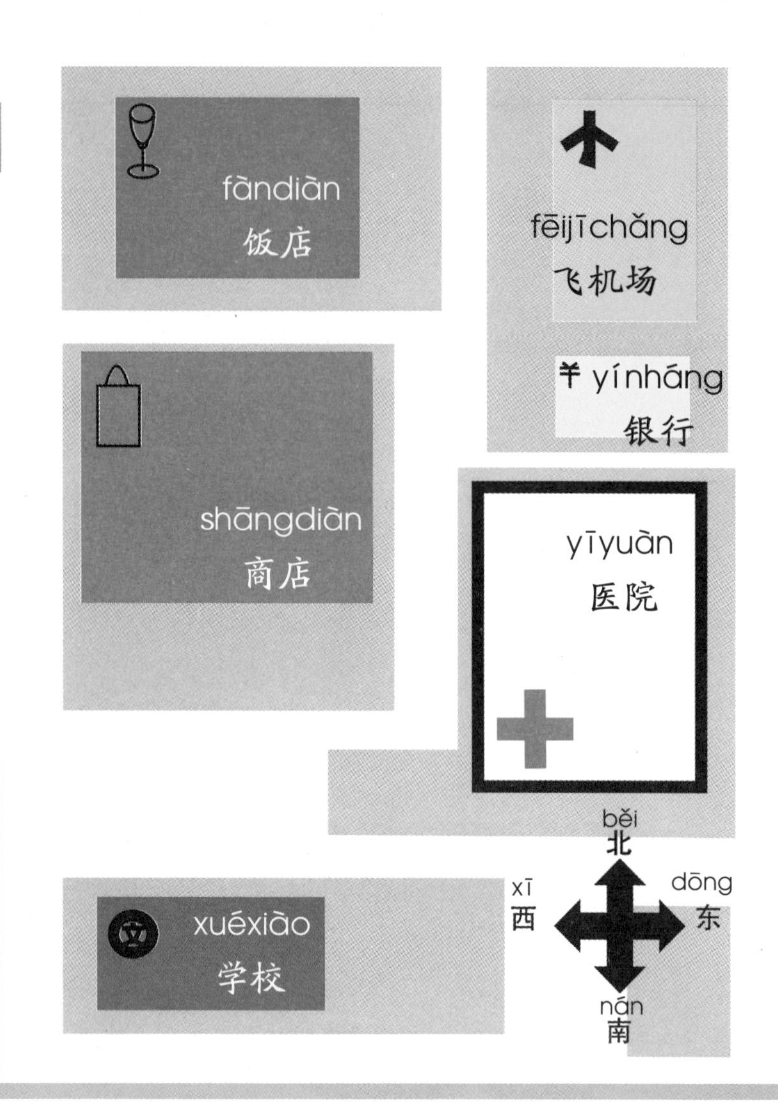

第一部分

生词 Words and Phrases

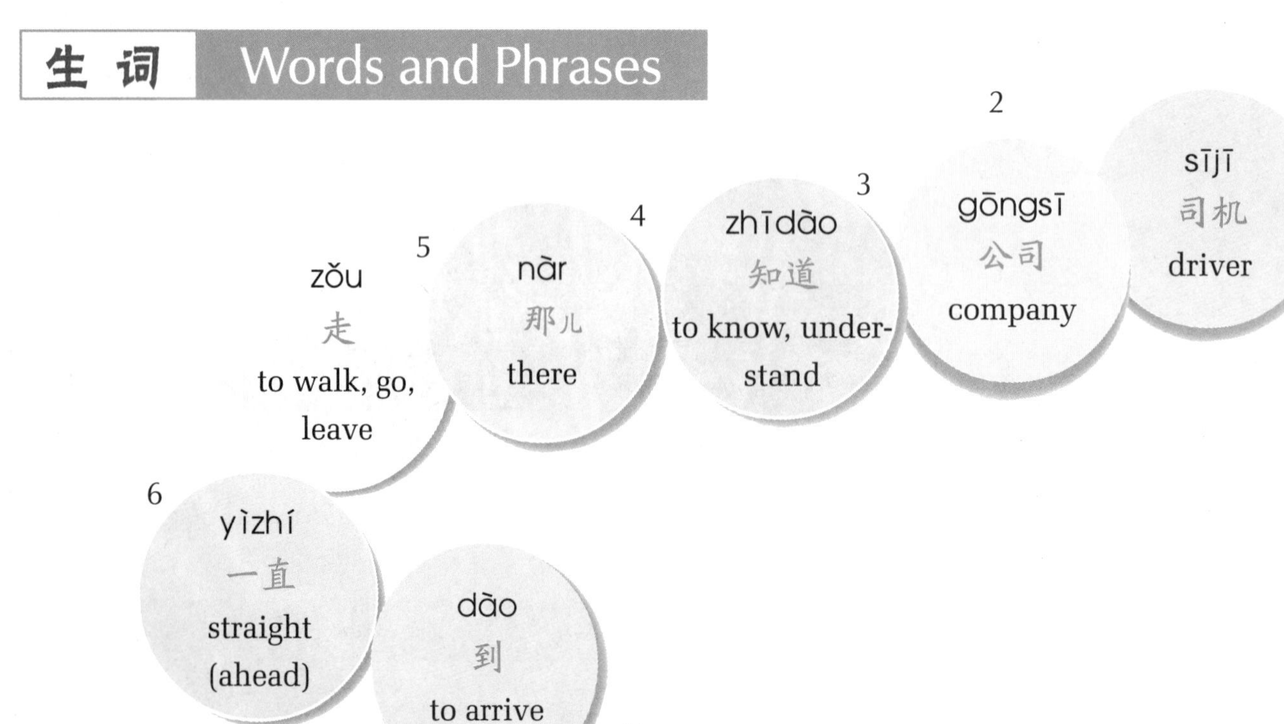

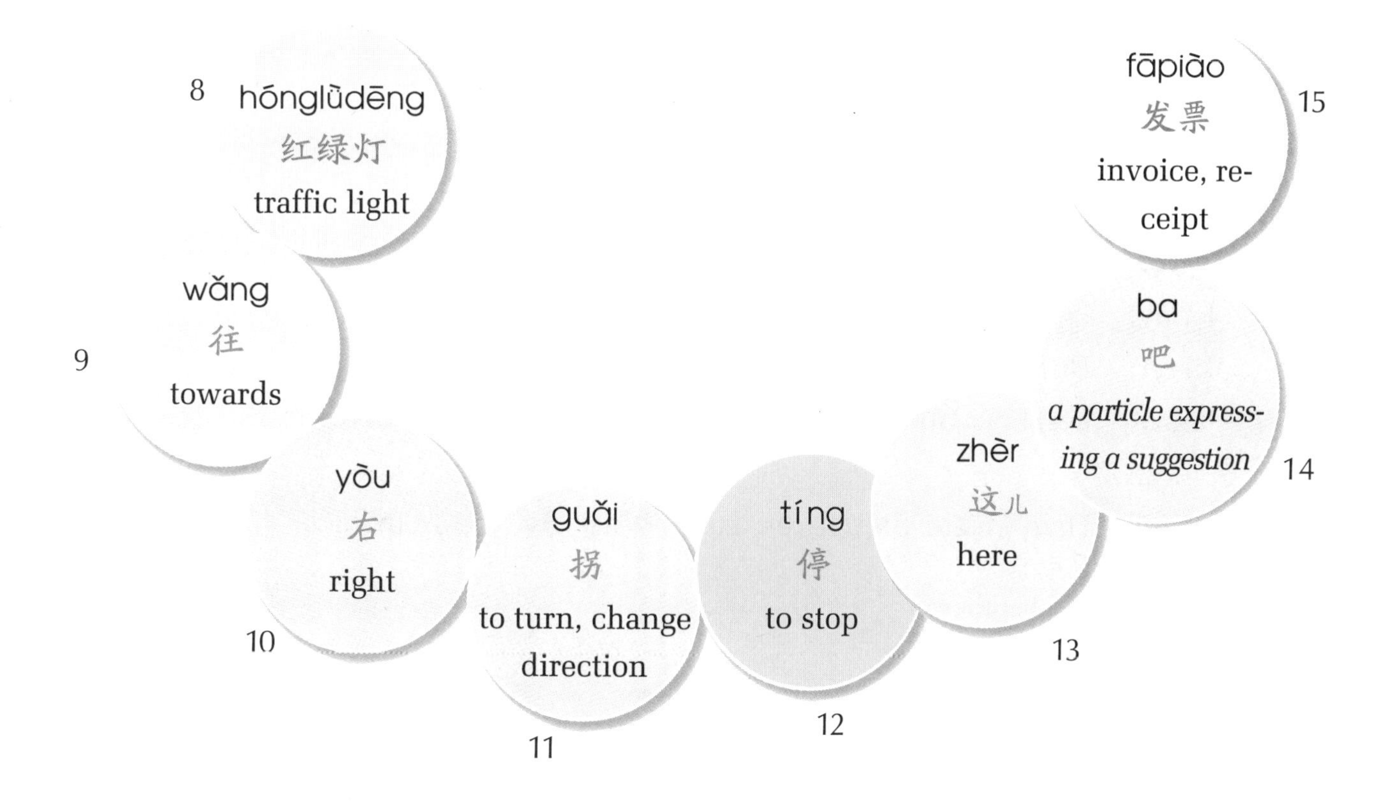

句子 Sentences

会话 Dialogue

Dirver: Where are you going?
Jenny: I'm going to the Dazhong Company.
Dirver: Do you know how we can get there?
Jenny: Yes, I do. Go straight ahead, then turn to the right at the traffic light.
...
Jenny: Here we are. Stop here please. Please give me an invoice.

sījī: Nín qù nǎr?
司机：您 去 哪儿？

Zhēnnī: Wǒ qù Dàzhòng Gōngsī.
珍妮：我 去 大众 公司。

sījī: Nǐ zhīdào qù nàr zěnme zǒu ma?
司机：你 知道 去 那儿 怎么 走 吗？

Zhēnnī: Wǒ zhīdào. Yìzhí zǒu, dào hónglǜdēng wǎng yòu guǎi.
珍妮：我 知道。一直 走，到 红绿灯 往 右 拐。

……

Zhēnnī: Dào le, jiù tíng zhèr ba.
珍妮：到 了，就 停 这儿 吧[18]。
Qǐng gěi wǒ fāpiào.
请 给 我 发票。

注释 Notes

吧[18] "Ba" can be used at the end of a statement to express or make a suggestion, and the statement can be made moderate with "Ba".

活动 Activities

语音练习
Listen and read

zěnme zǒu	——	zěnme zuò
shízì lùkǒu	——	shísì lù chē
ránhòu	——	yánhòu
qù nǎr	——	qù nàr

问和答
Ask and answer in pairs

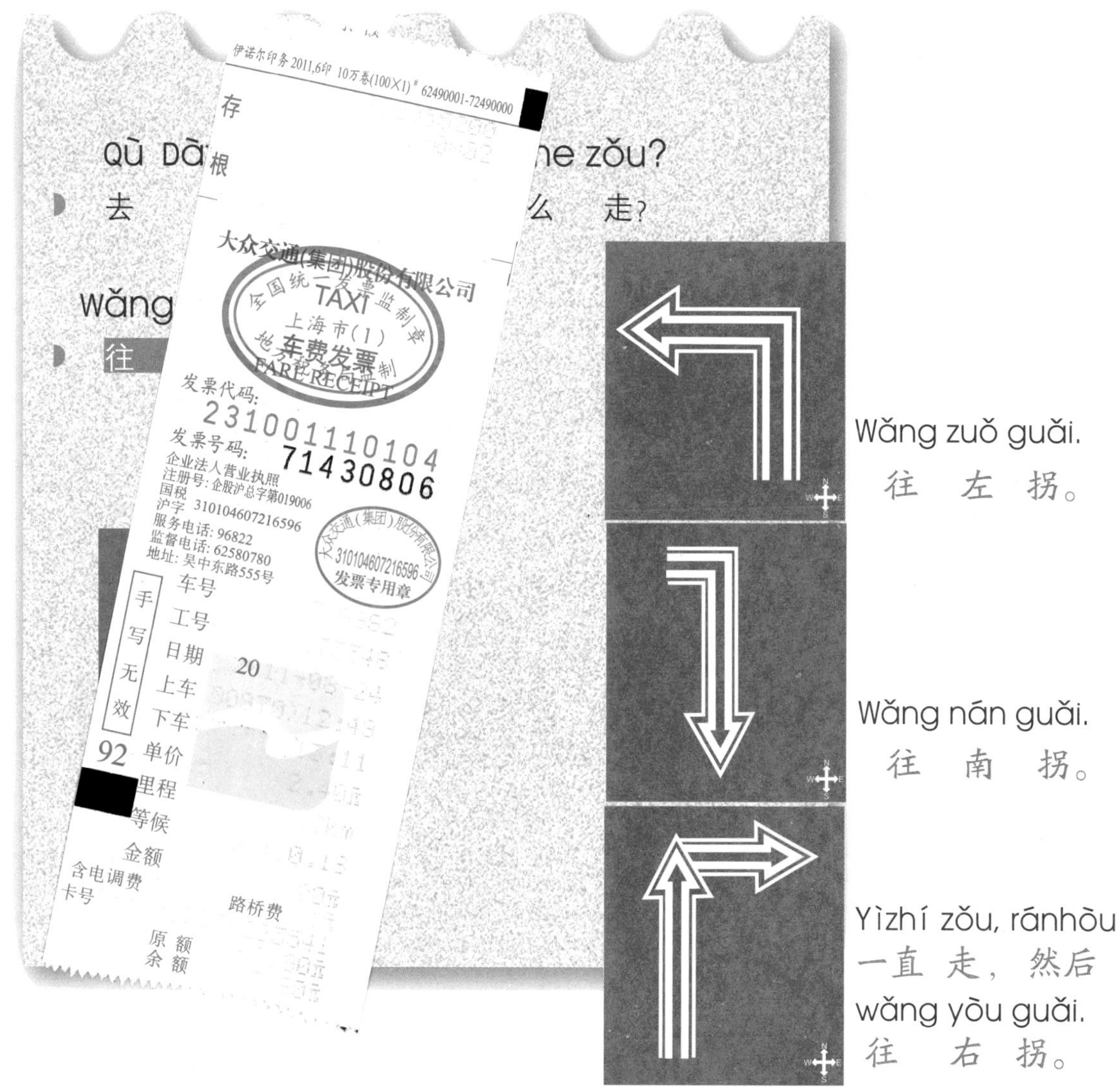

Qù nǐ jiā zěnme zǒu?
去 你 家 怎么 走?

Dào hónglǜdēng wǎng yòu guǎi.
到 红绿灯 往 右 拐。

Dào rénxíng héng dào wǎng nán zǒu.
到 人行 横 道 往 南 走。

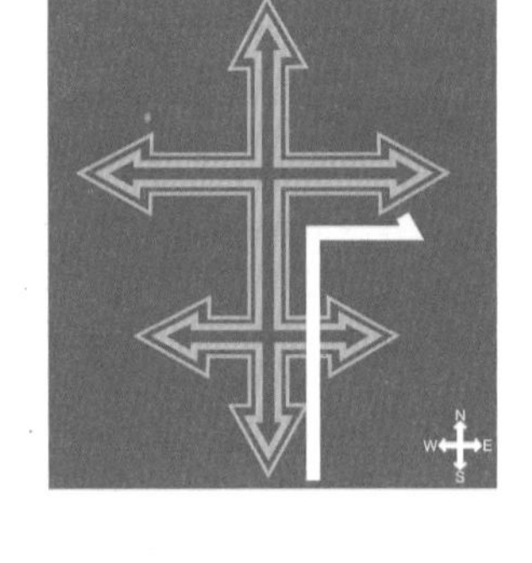

hónglǜdēng
红绿灯

shízì lùkǒu
十字 路口

dì'èr gè shízì lùkǒu
第二 个 十字 路口

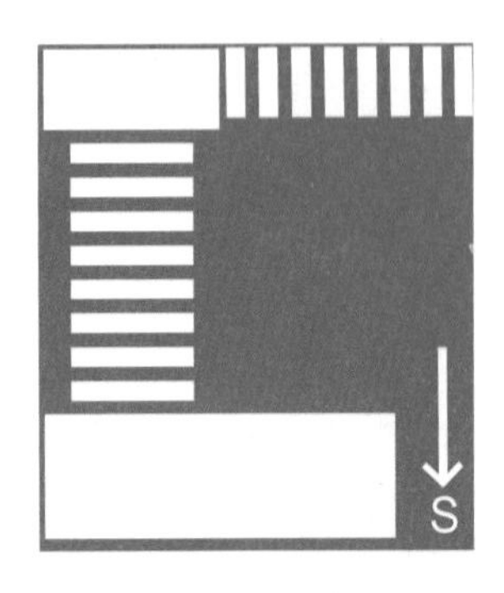

rénxíng héngdào
人行 横道

guòjiē tiānqiáo
过街 天桥

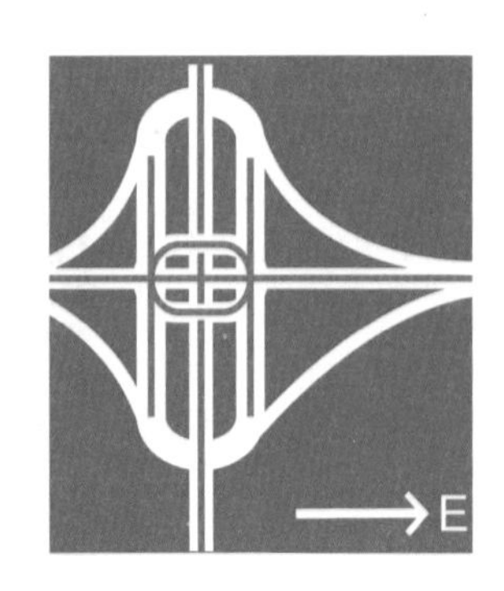

lìjiāoqiáo
立交桥

根据地图问路、指路

Ask ways and tell ways according to the map

dàshǐguǎn
大使馆

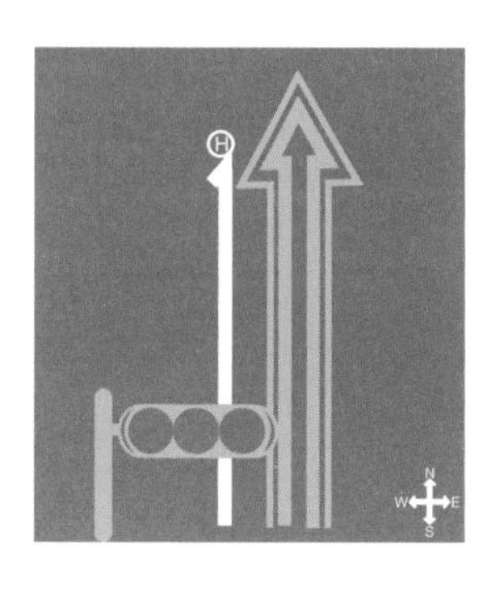

fàndiàn
饭店

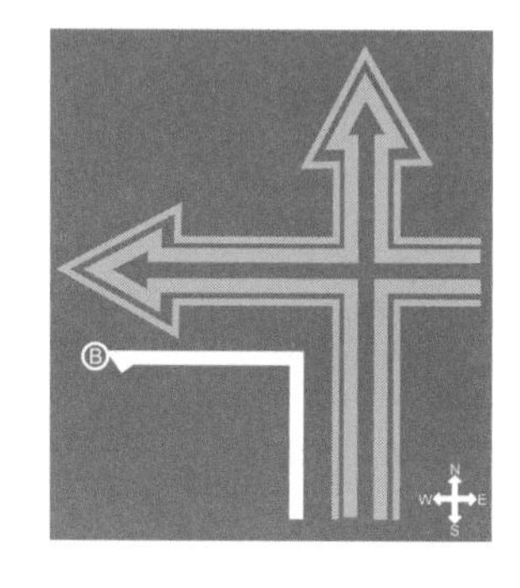

yínháng
银行

第二部分

生词 Words and Phrases

1. měi tiān 每天 everyday
2. shàngbān 上班 to go to work
3. zǒuzhe 走着 on foot
4. lí 离 away from
5. jìn 近 close, near
6. yào 要 to take, spend
7. fēnzhōng 分钟 minute
8. wèishénme 为什么 why
9. kāichē 开车 to drive (car)
10. pà 怕 to be afraid, fear
11. dǔchē 堵车 traffic jam

句子 Sentences

1 Nǐ měi tiān zěnme qù shàngbān?
你 每 天 怎么 去 上班?

2 Zǒu zhe qù shàngbān.
走 着 去 上班。

3 Nǐ jiā lí gōngsī hěn jìn ma?
你 家 离 公司 很 近 吗?

1 How do you go to work everyday?
2 I go to work on foot.
3 Is your house close to your office?

会话 Dialogue

Zhēnnī: Nǐ měi tiān zěnme qù shàngbān?
珍妮: 你 每 天 怎么 去 上班?

Sòng Lìli: Zǒu zhe qù.
宋丽丽: 走 着 去。

Zhēnnī: Nǐ jiā lí gōngsī hěn jìn ma?
珍妮: 你 家 离 公司 很 近 吗?

Sòng Lìli: Bú jìn. Zǒu zhe qù yào sìshí fēnzhōng.
宋丽丽: 不 近。走 着 去 要 四十 分钟。

Zhēnnī: Wèishénme bù kāichē?
珍妮: 为什么 不 开车?

Sòng Lìli: Wǒ pà dǔchē.
宋丽丽: 我 怕 堵车。

Jenny: How do you go to work everyday?
Song Lili: On foot.
Jenny: Is your home close to your office?
Song Lili: Not close. It takes 40 minutes to get there.
Jenny: Why don't you drive your car?
Song Lili: I'm afraid of traffic jam.

活动 Activities

替换练习 Substitution

Nǐ zěnme qù shàngbān?
你 怎么 去 上班?

Zǒu zhe qù.
走 着 去。

zuò chūzūchē
坐 出租车

qí zìxíngchē
骑 自行车

zuò dìtiě
坐 地铁

kāichē
开车

问与答
Ask and answer in pairs

Nǐ jiā lí gōngsī yuǎn ma?
- 你家离公司远吗？

Bù yuǎn, kāichē qù yào èrshí fēnzhōng.
- 不远，开车去要二十分钟。

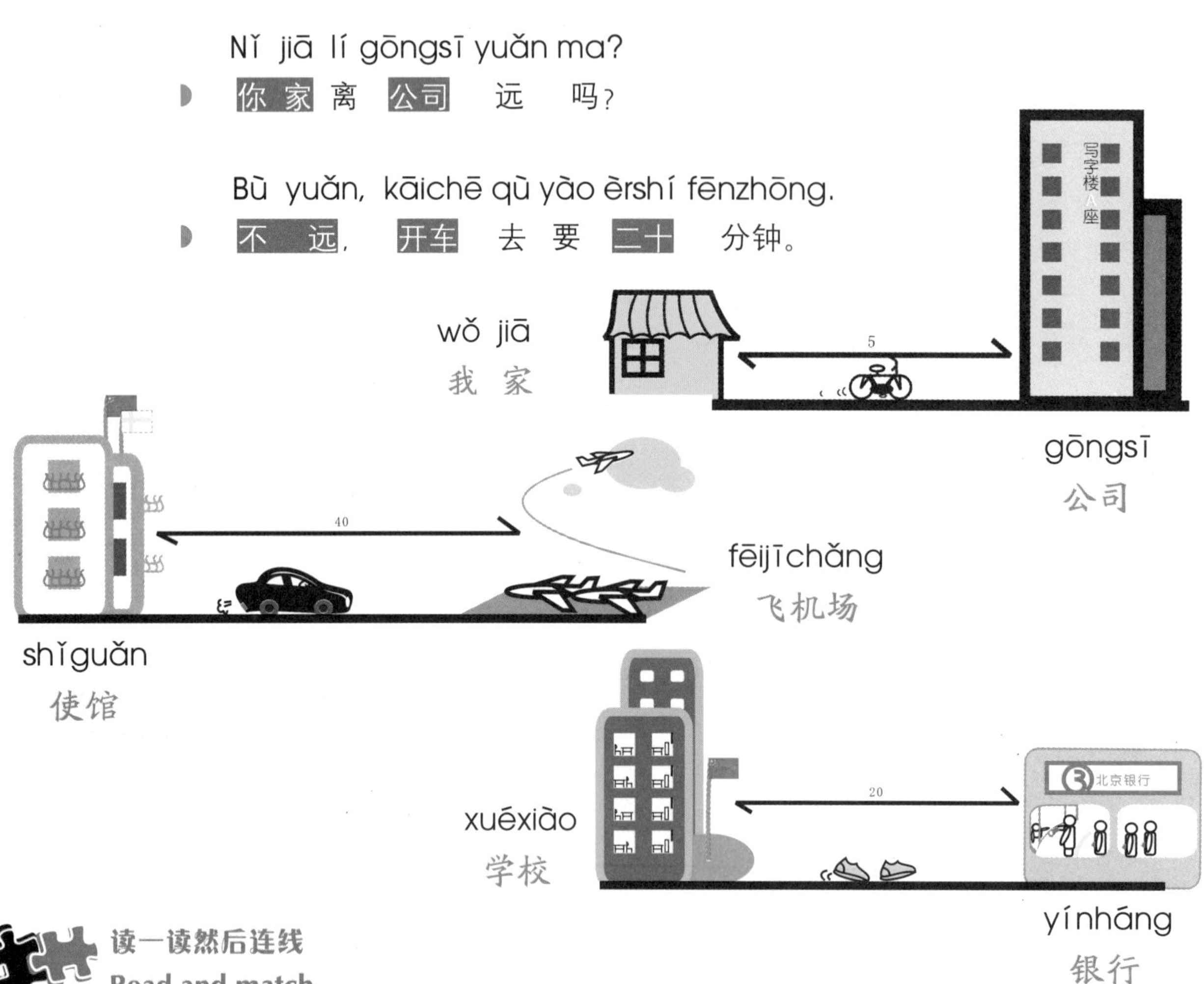

读一读然后连线
Read and match

Qù Yīngguó Shǐguǎn zěnme zǒu?
1. 去英国使馆怎么走？

Nǐ zěnme qù shàngbān?
2. 你怎么去上班？

Dào le ma?
3. 到了吗？

Nǐ jiā lí gōngsī yuǎn ma?
4. 你家离公司远吗？

Kāichē qù yào duō cháng shíjiān?
5. 开车去要多长时间？

Kāichē qù.
a. 开车去。

Yìzhí zǒu, ránhòu wǎng zuǒ guǎi.
b. 一直走，然后往左拐。

Bù yuǎn.
c. 不远。

Shíwǔ fēnzhōng.
d. 十五分钟。

Dào le, qǐng tíngchē.
e. 到了，请停车。

听录音选择正确答案
Listen and choose the appropriate response

Dào hónglǜdēng wǎng zuǒ guǎi.
1. a. 到 红绿灯 往 左 拐。（ ）

Dào hónglǜdēng wǎng yòu guǎi.
b. 到 红绿灯 往 右 拐。（ ）

Zuò chūzūchē huí jiā.
2. a. 坐 出租车 回 家。（ ）

Zǒu zhe huí jiā.
b. 走 着 回 家。（ ）

认汉字
Characters

rùkǒu

chūkǒu

xī

dōng

nán

běi

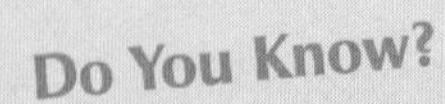

北京的街道名各种各样，包括人物姓氏（例如：张自忠路）、市场商品（例如：菜市口大街）、花草鱼虫（例如：花市大街、金鱼胡同）等。

In Beijing, streets are named after all sorts of things including famous people's names (i.e. Zhang Zizhong Street), market products (i.e. Caishikou Street), flowers, plants, fish and insects (i.e. Huashi Street, and Jinyu Hutong).

补充词语表 Supplementary Words & Phrases

东	dōng	east
南	nán	south
西	xī	west
北	běi	north

左	zuǒ	left
然后	ránhòu	then
十字路口	shízì lùkǒu	intersection
第二	dì'èr	second

人行横道	rénxíng héngdào	crosswalk
过街天桥	guòjiē tiānqiáo	overpass
立交桥	lìjiāoqiáo	overpass
坐	zuò	to sit
地铁	dìtiě	subway
出租车	chūzūchē	taxi
骑	qí	to ride
自行车	zìxíngchē	bike
远	yuǎn	far

UNIT 8

Nǐ de xīn jiā zài nǎr?

你的新家在哪儿？

Where is your new house?

学习目标 **Objectives**

- 掌握方位词的用法 Learning how to use location words
- 学会表述某物的方位 Learning how to express the location of things

你的新家在哪儿？

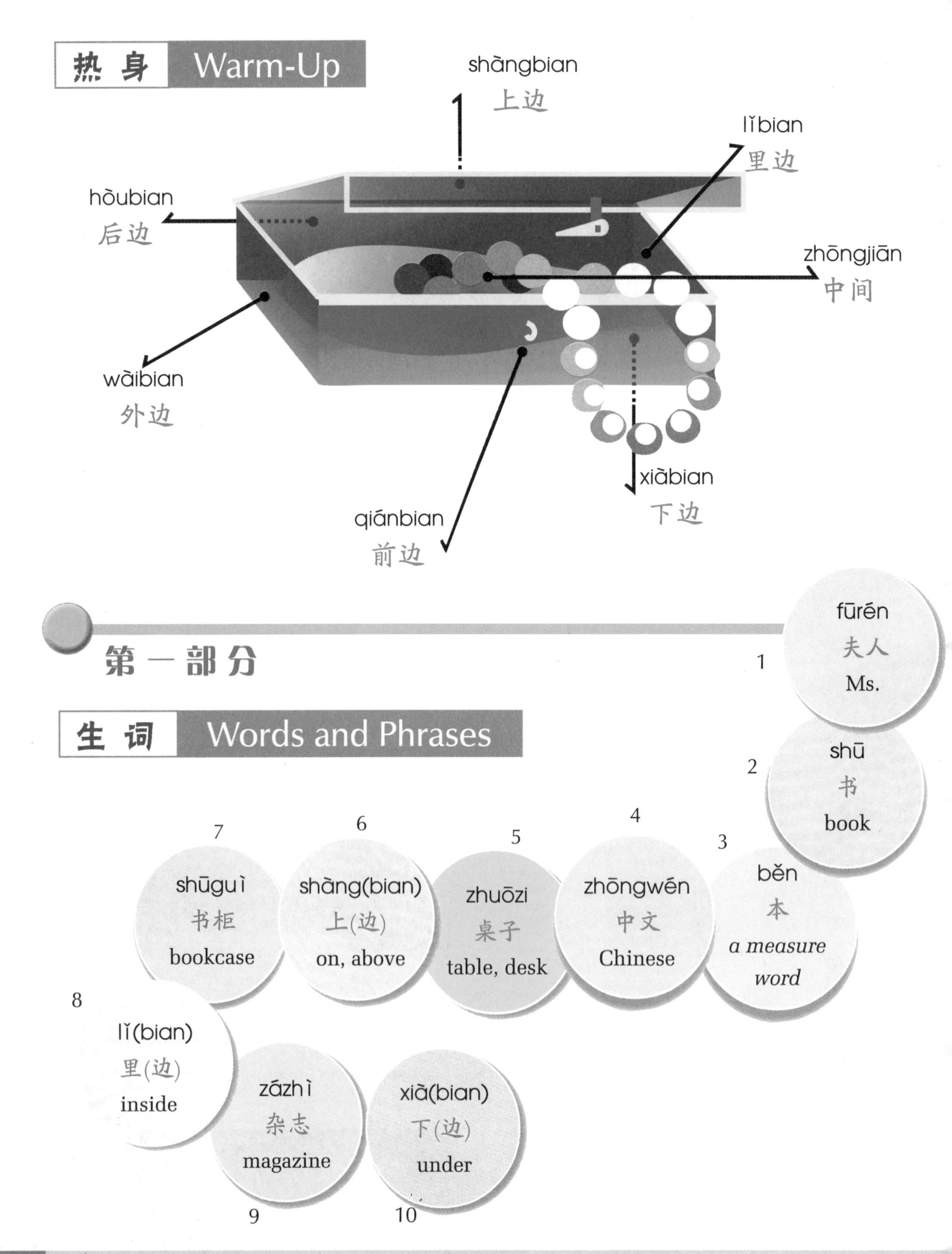
热身 Warm-Up
shàngbian
上边
lǐbian
里边
hòubian
后边
zhōngjiān
中间
wàibian
外边
xiàbian
下边
qiánbian
前边
第一部分
生词 Words and Phrases
1 fūrén 夫人 Ms.
2 shū 书 book
3 běn 本 a measure word
4 zhōngwén 中文 Chinese
5 zhuōzi 桌子 table, desk
6 shàng(bian) 上(边) on, above
7 shūguì 书柜 bookcase
8 lǐ(bian) 里(边) inside
9 zázhì 杂志 magazine
10 xià(bian) 下(边) under

句 子 Sentences

会 话 Dialogue

Martin: Where is my book?
His wife: Which book?
Martin: The green Chinese book.
His wife: Is it on the table?
Martin: No, it's not there.
His wife: Is it in the bookcase?
Martin: I've looked, and it's not there either.
His wife: ...
Martin: Here it is, under the magazine.

Mǎdīng: Wǒ de shū ne?
马丁：我 的 书 呢？

fūrén: Shénme shū?
夫人：什么 书？

Mǎdīng: Yì běn lǜsè de Zhōngwén shū.
马丁：一本 绿色 的 中文 书。

fūrén: Zài zhuōzi shàng ma?
夫人：在 桌子 上 吗？

Mǎdīng: Bú zài.
马丁：不 在。

fūrén: Zài shūguì lǐ ma?
夫人：在 书柜 里 吗？

Mǎdīng: Wǒ zhǎo le, yě méiyǒu.
马丁：我 找 了，也 没有。

fūrén: ...
夫人：……

Mǎdīng: Zài zhèr, zài zázhì xiàbian.
马丁：在 这儿，在 杂志 下边。

活动 Activities

语音练习
Listen and read

shàngbian —— xiàbian
zhuōzi —— zázhì
zhǎodào —— zǎodào

看图说话
Make sentences according to the pictures

Shū zài zhuōzi shàngbian.
书 在 桌子 上边。

diànshì diànhuà
电视 电话

zhuōzi yàoshi
桌子 钥匙

zhuōzi yǐzi
桌子 椅子

niúnǎi bīngxiāng
牛奶 冰箱

替换练习
Substitution

Wǒ de shū ne?
我的书呢？

Nǐ de shū zài zhuōzi shàngbian.
你的书在桌子上边。

yīguì lǐbian
衣柜 里边

zhuōzi shàngbian
桌子 上边

shāngdiàn qiánbian
商店 前边

第二部分

生词 Words and Phrases

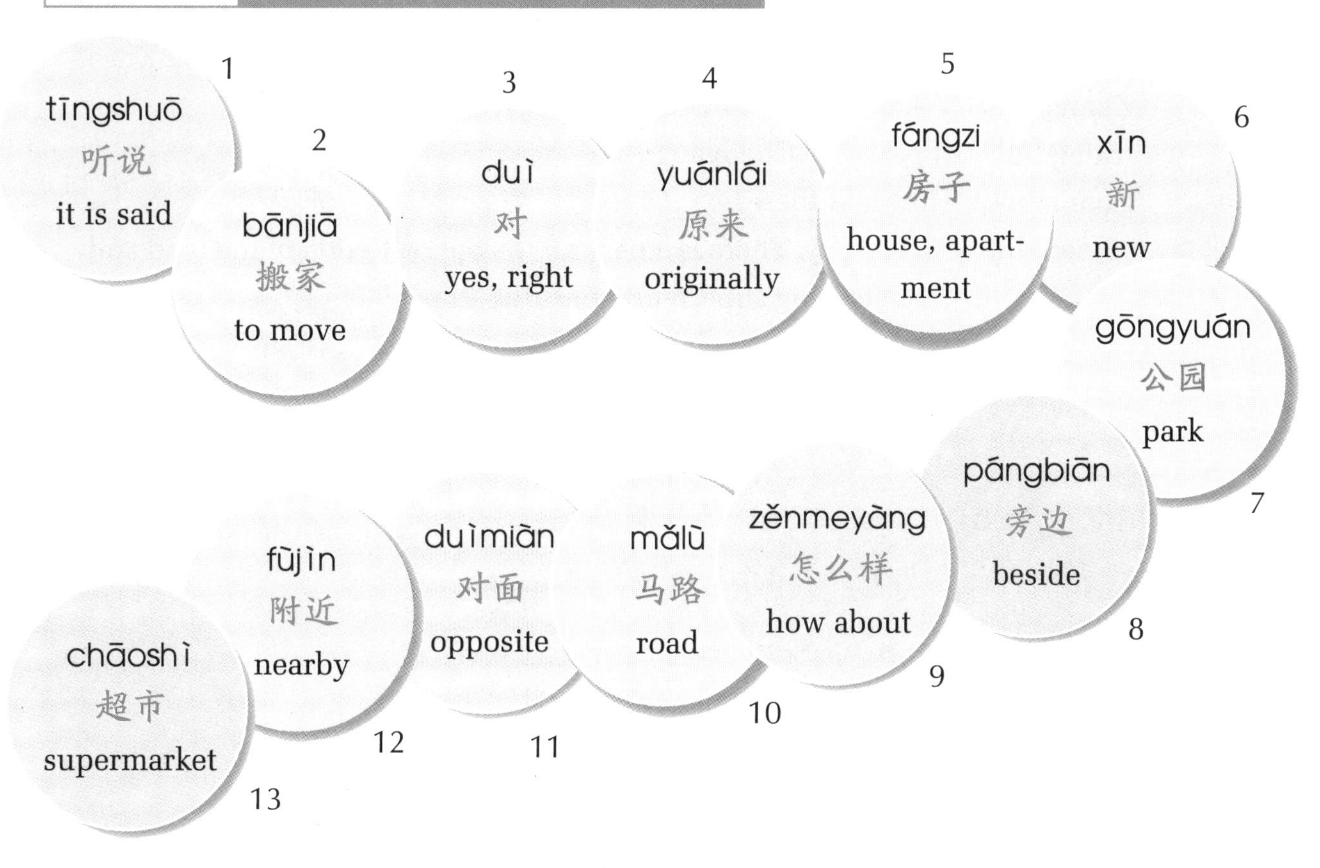

句子 Sentences

1 Nǐ de xīn jiā zài nǎr?
你的新家在哪儿?

2 Zài Cháoyáng Gōngyuán pángbiān.
在朝阳公园旁边。

3 Mǎlù duìmiàn yǒu yí gè gōngyuán.
马路对面有一个公园。

1 Where is your new home?
2 It is beside Chaoyang Park.
3 There is a park on the opposite side of the road.

会话 Dialogue

Zhanghua: I've heard that you have moved.
Song Lili: Yes, my old apartment was too small.
Zhanghua: Where is your new home?
Song Lili: It is beside Chaoyang Park.
Zhanghua: How is it there?
Song Lili: Very pretty. There is a park on the opposite side of the road and there is a big supermarket nearby too.

Zhāng Huá: Tīngshuō nǐ bānjiā le.
张　华：听说　你　搬家　了。

Sōng Lìlì: Duì, yuánlái de fángzi tài xiǎo le.
宋丽丽：对，原来　的　房子　太　小　了。

Zhāng Huá: Nǐ de xīn jiā zài nǎr?
张　华：你　的　新　家　在　哪儿？

Sōng Lìlì: Zài Cháoyáng Gōngyuán pángbiān.
宋丽丽：在　朝阳　公园　旁边。

Zhāng Huá: Nàr zěnmeyàng?
张　华：那儿　怎么样？

Sōng Lìlì: Hěn piàoliang. Mǎlù duìmiàn yǒu yí gè gōngyuán,
宋丽丽：很　漂亮。马路　对面　有　一　个　公园，

fùjìn hái yǒu yí gè dà chāoshì.
附近　还　有　一　个　大　超市。

替换练习
Substitution

Mǎlù duìmiàn yǒu yí gè chāoshì.
马路 对面 有 一 个 超市。

shāngdiàn pángbiān yínháng
商店 旁边 银行

gōngyuán lǐbian fànguǎn
公园 里边 饭馆

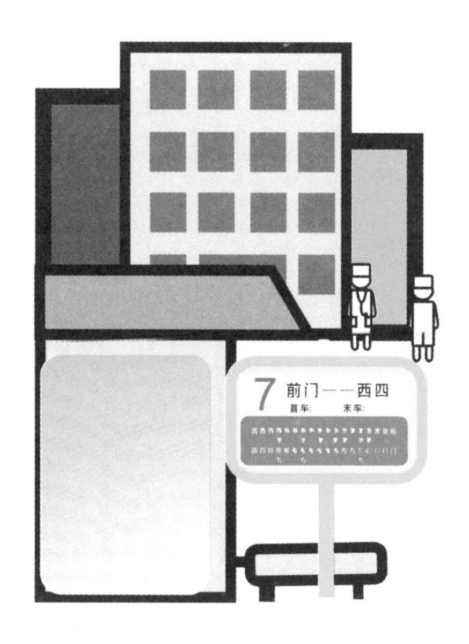

yīyuàn qiánbian chēzhàn
医院 前边 车站

zhuōzi shàngbian píngguǒ
桌子 上边 苹果

练一练

Read and practise

lì: Shāngdiàn zài gōngyuán duìmiàn.
例：商店 在 公园 对面。

→ Gōngyuán duìmiàn yǒu shāngdiàn.
公园 对面 有 商店。

Yínháng zài shāngdiàn duìmiàn.
1. 银行 在 商店 对面。 →

Xuéxiào zài gōngyù pángbiān.
2. 学校 在 公寓 旁边。 →

Shū zài zhuōzi shàngbian.
3. 书 在 桌子 上边。 →

Niúnǎi zài bīngxiāng lǐbian.
4. 牛奶 在 冰箱 里边。 →

看图说句子

Make sentences according to the pictures

lì: Gōngyuán pángbiān yǒu yì jiā yīyuàn.
例：公园 旁边 有 一 家 医院。

Yīyuàn zài gōngyuán pángbiān.
医院 在 公园 旁边。

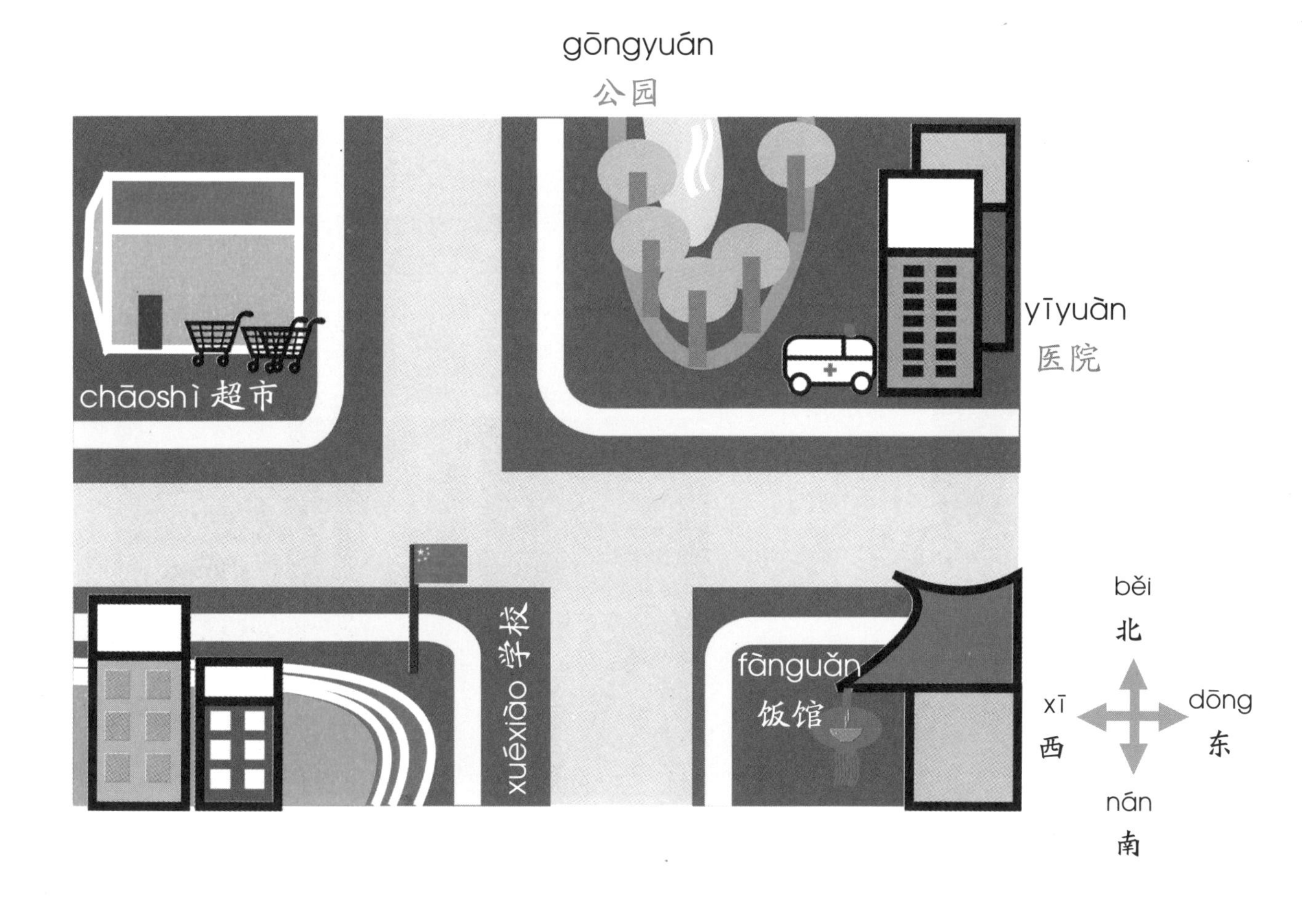

活动 Activities

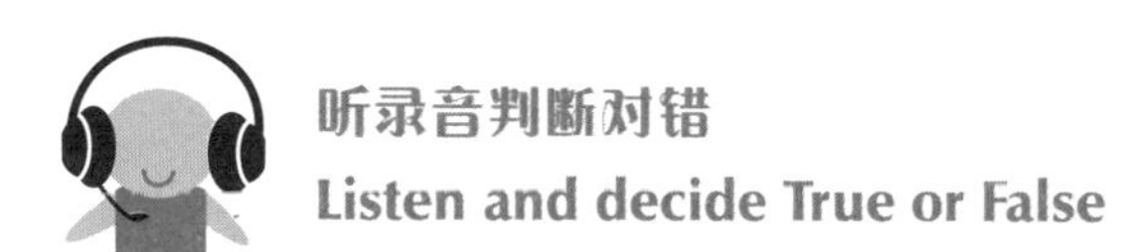

Wǒ jiā zài gōngyuán xībian.
1. 我 家 在 公园 西边。(　　)

Chāoshì zài gōngyuán dōngbian.
2. 超市 在 公园 东边。(　　)

Gōngyuán nánbian yǒu yí gè fànguǎn.
3. 公园 南边 有 一 个 饭馆。(　　)

认汉字 Characters

guān
关
to close

kāi
开
to open

lā
拉
to pull

tuī
推
to push

你知道吗？

Do You Know?

中国人请客时座位的安排很有讲究。离门最远的正中间的座位是主人的，女主人坐在主人的对面。客人分别坐在主人的右边和左边。

There are some rules for arranging the seats when Chinese people invite guest for dinner. The middle seat which is the furthest from the door is for the host and the hostess's seat is on the opposite side. The guests will sit at the right side and the left side of the host.

补充词语表 Supplementary Words & Phrases

电视	diànshì	TV
钥匙	yàoshi	key
椅子	yǐzi	chair
冰箱	bīngxiāng	refrigerator

外(边)	wài(bian)	outside
前(边)	qián(bian)	in front of
后(边)	hòu(bian)	behind
中间	zhōngjiān	in the middle of, between

衣柜	yīguì	chest
车站	chēzhàn	bus stop
公寓	gōngyù	apartment
饭馆	fànguǎn	restaurant

UNIT 9

Nǐ zěnme le?

你 怎么 了?

What's the matter with you?

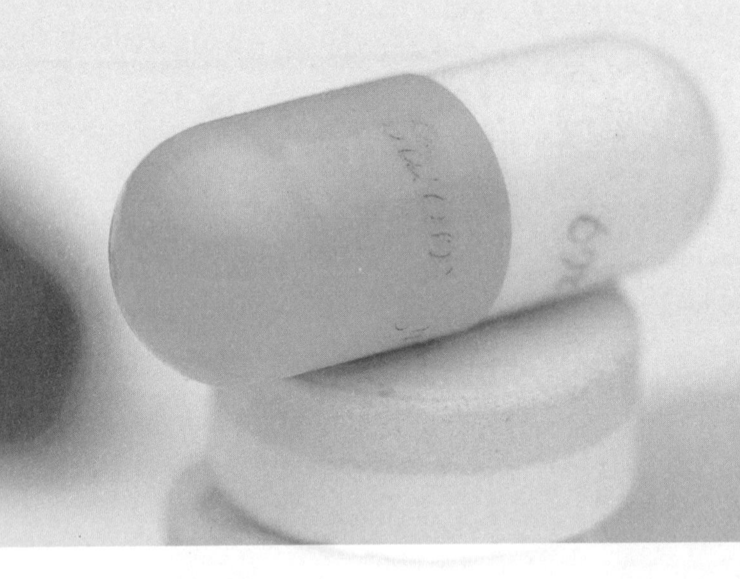

学习目标 Objectives

- 学会询问并且描述身体状况 Learning how to ask about and describe one's health
- 学会身体主要部位的词语 Learning some vocabulary for the human body

热身 Warm-Up

头 tóu
眼睛 yǎnjing
脸 liǎn
嘴 zuǐ
牙 yá
胳膊 gēbo
肚子 dùzi
手 shǒu
腿 tuǐ
脚 jiǎo

第一部分

生词 Words and Phrases

1. yīshēng 医生 doctor
2. bìngrén 病人 patient
3. zěnme le 怎么了 what's the matter
4. késou 咳嗽 to cough
5. yǒu yìdiǎnr 有一点儿 a bit
6. téng 疼 painful
7. tóuténg 头疼 headache
8. fāshāo 发烧 to have a fever
9. gǎnmào 感冒 to have a cold
10. yào 药 medicine
11. xǐhuan 喜欢 to like

句子 Sentences

会话 Dialogue

Doctor: What's the matter?

Patient: I cough, and have a little headache.

Doctor: Have you got a fever?

Patient: No.

Doctor: You've got a cold. Why don't you take some medicine.

Patient: I don't like taking medicine.

yīshēng: Nǐ zěnme le?
医生：你 怎么 了？

bìngrén: Wǒ késou, yǒu yìdiǎnr tóu téng.
病人：我 咳嗽，有 一点儿[19] 头 疼。

yīshēng: Fāshāo ma?
医生：发烧 吗？

bìngrén: Bù fāshāo.
病人：不 发烧。

yīshēng: Nǐ gǎnmào le. Chī yìdiǎnr yào ba.
医生：你 感冒 了。吃 一点儿 药 吧。

bìngrén: Wǒ bù xǐhuan chī yào.
病人：我 不 喜欢 吃 药。

注释

Notes

有 一点儿[19] "Yǒu yìdiǎnr" is often used before a verb or an adjective to express that the degree is low.

活动 Activities

语音练习
Listen and read

chī yào	zhǐyào
xiūxi	xuéxí
lèi le	lái le
zěnme	shénme

问和答
Ask and answer in pairs

Lǐ Lì zěnme le?
李丽 怎么 了？

Tā ______ le.
她 ______ 了。

替换练习
Substitutions

Nǐ zěnme le?
你 怎么 了？

Wǒ yǒu yìdiǎnr gǎnmào.
我 有 一点儿 感冒。

牙疼	yá téng
头疼	tóu téng
腿疼	tuǐ téng
咳嗽	késou
不舒服	bù shūfu

第二部分

生词 Words and Phrases

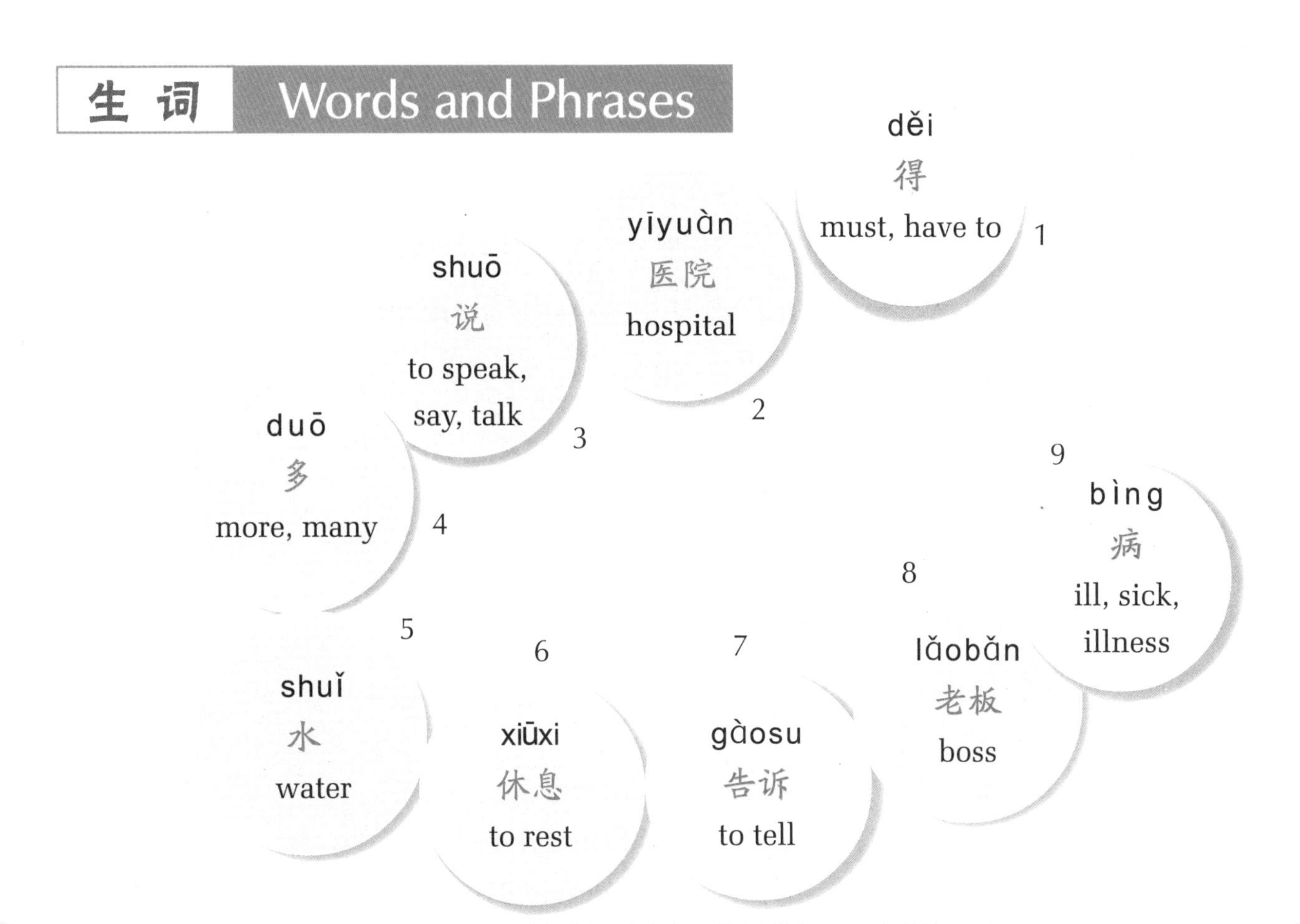

1. děi 得 must, have to
2. yīyuàn 医院 hospital
3. shuō 说 to speak, say, talk
4. duō 多 more, many
5. shuǐ 水 water
6. xiūxi 休息 to rest
7. gàosu 告诉 to tell
8. lǎobǎn 老板 boss
9. bìng 病 ill, sick, illness

你怎么了？

句子 Sentences

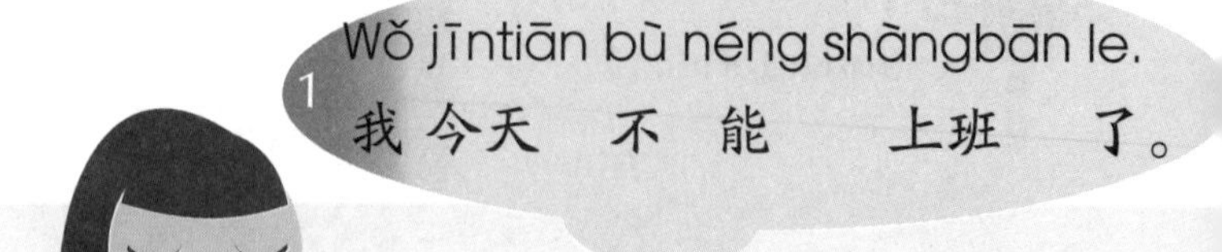

1 I can't go to work today
2 You'd better have a rest

会话 Dialogue

Mǎdīng: Wǒ jīntiān bù néng shàngbān le.
马丁：我 今天 不 能 上班 了[20]。

Zhāng Huá: Nǐ zěnme le?
张华：你 怎么 了？

Mǎdīng: Wǒ yǒudiǎnr fāshāo.
马丁：我 有点儿 发烧。

Zhāng Huá: Nǐ děi qù yīyuàn kànkan.
张华：你 得 去 医院 看看。

Mǎdīng: Wǒ qù le, yīshēng shuō wǒ děi duō hē shuǐ, duō xiūxi.
马丁：我 去 了，医生 说 我 得 多 喝 水，多 休息。

Zhāng Huá: Nǐ xiūxi ba, wǒ gàosu lǎobǎn nǐ bìng le.
张华：你 休息吧，我 告诉 老板 你 病 了。

注释 Notes

了[20] "Le" is a particle that expresses the situation has changed, or a new situation appeared.

Martin: I can't go to work today.
Zhang Hua: What's the matter?
Martin: I've got a fever.
Zhang Hua: You'd better go see a doctor.
Martin: I did. The doctor said I should drink more water, and have a rest.
Zhang Hua: OK. Have a good rest. I will tell our boss that you are ill.

活动 Activities

看图完成句子
Complete the sentences according to the pictures

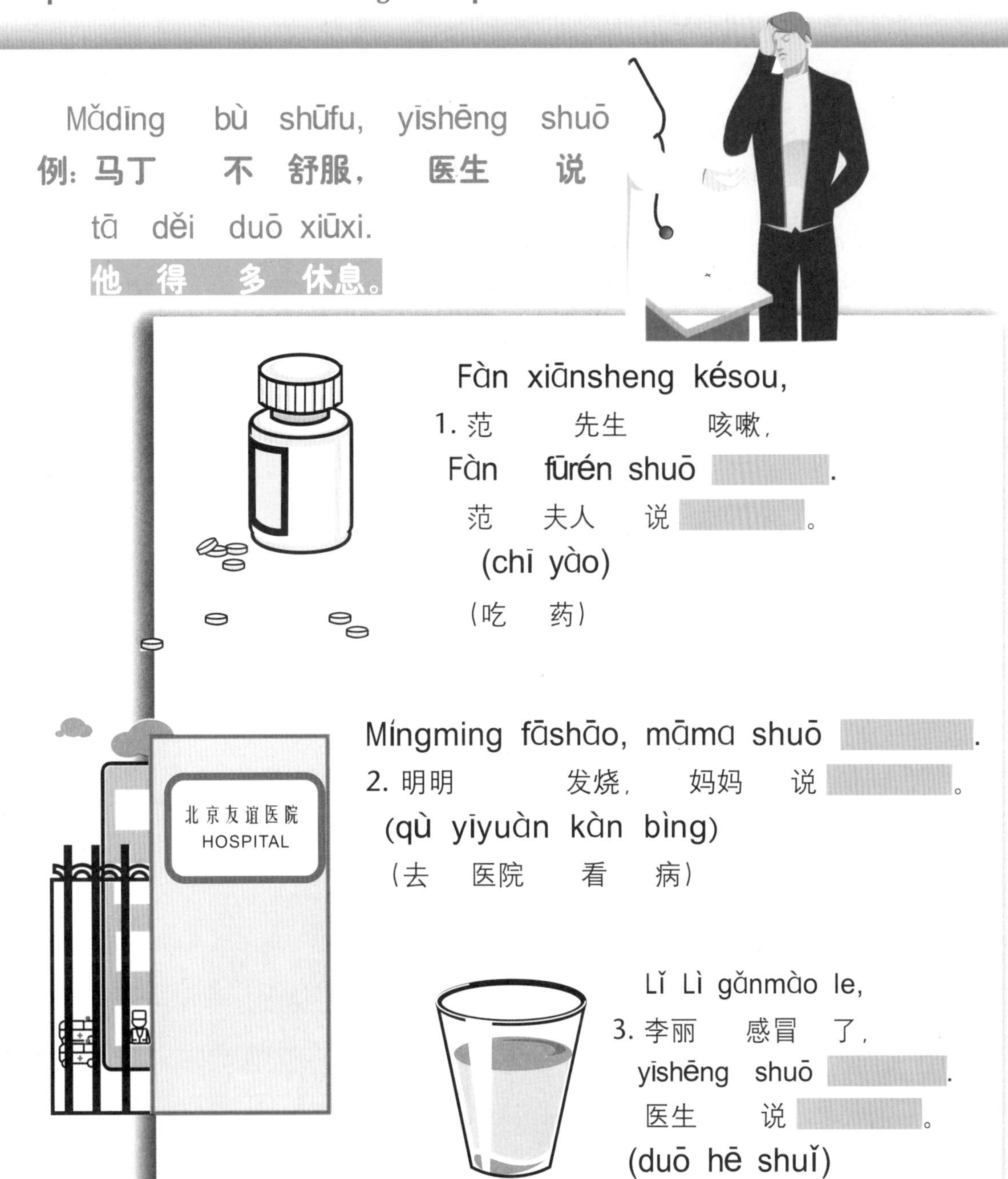

Mǎdīng bù shūfu, yīshēng shuō
例：马丁 不 舒服， 医生 说
tā děi duō xiūxi.
他 得 多 休息。

Fàn xiānsheng késou,
1. 范 先生 咳嗽，
Fàn fūrén shuō ______.
范 夫人 说 ______。
(chī yào)
（吃 药）

Míngming fāshāo, māma shuō ______.
2. 明明 发烧， 妈妈 说 ______。
(qù yīyuàn kàn bìng)
（去 医院 看 病）

Lǐ Lì gǎnmào le,
3. 李丽 感冒 了，
yīshēng shuō ______.
医生 说 ______。
(duō hē shuǐ)
（多 喝 水）

读一读然后连线
Read and match

Wǒ gǎnmào le. 1. 我 感冒 了。	Nǐ děi duō xiūxi. a. 你 得 多 休息。
Wǒ fāshāo le. 2. 我 发烧 了。	Nǐ děi qù yīyuàn kànkan. b. 你 得 去 医院 看看。
Wǒ késou. 3. 我 咳嗽。	Nǐ děi duō hē shuǐ. c. 你 得 多 喝 水。
Wǒ yǒu yìdiǎnr lèi. 4. 我 有 一点儿 累。	Nǐ děi qù yàodiàn mǎi yào. d. 你 得 去 药店 买 药。
Wǒ méiyǒu gǎnmào yào. 5. 我 没有 感冒 药。	Nǐ děi chī yào. e. 你 得 吃 药。

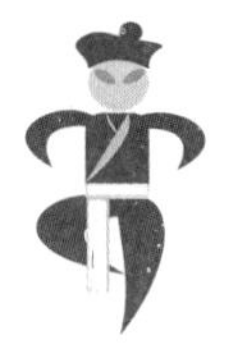

角色扮演
Role play

模仿第二部分的会话，完成对话
Using the dialogue in part two as a model, practise the following conversations and talk

Wǒ míngtiān bù néng qù nǐ jiā le.
1 我 明天 不 能 **去你家** 了。

2

3

4

hé nǐ yìqǐ chīfàn
和 你 一起 吃饭

shàngkè
上课

qù Chángchéng
去 长城

听录音判断对错

Listen and decide True or False

1. a. Zhāng Huá gǎnmào le. 张华感冒了。( ) b. Zhāng Huá lèi le. 张华累了。( )

2. a. Mǎdīng děi duō xiūxi. 马丁得多休息。( ) b. Mǎdīng děi duō hēshuǐ. 马丁得多喝水。( )

认汉字

Characters

yàodiàn 药店 drugstore

Běijīng Yīyuàn 北京医院 Beijing Hospital

你知道吗？

Do You Know?

在中医治疗中，中草药被广泛应用。中草药主要来源于植物，比如根、叶、果实等。

Chinese herbal medicine is widely used in traditional Chinese medical practice. Traditional Chinese remedies mainly come from plants, e.g. roots, leaves and fruits, etc.

补充词语表 Supplementary Words & Phrases

头	tóu	head
脸	liǎn	face
嘴	zuǐ	mouth
眼睛	yǎnjing	eye
牙	yá	tooth
胳膊	gēbo	arm
肚子	dùzi	belly
手	shǒu	hand
腿	tuǐ	leg
脚	jiǎo	foot

生病	shēngbìng	to fall ill
累	lèi	tired
舒服	shūfu	comfortable

药店	yàodiàn	drugstore
一起	yìqǐ	together
吃饭	chīfàn	to eat a meal
上课	shàngkè	to attend class

UNIT 10

Nǐ huì xiū diànnǎo ma?

你会修电脑吗?

Can you repair a computer?

学习目标 Objectives

- **学会谈论能力和爱好** Learning how to talk about talents, abilities and leisure activities

你会修电脑吗？

热身 Warm-Up

kāichē
开车

zuò fàn
做 饭

shuō Hànyǔ
说 汉语

huà huà
画 画

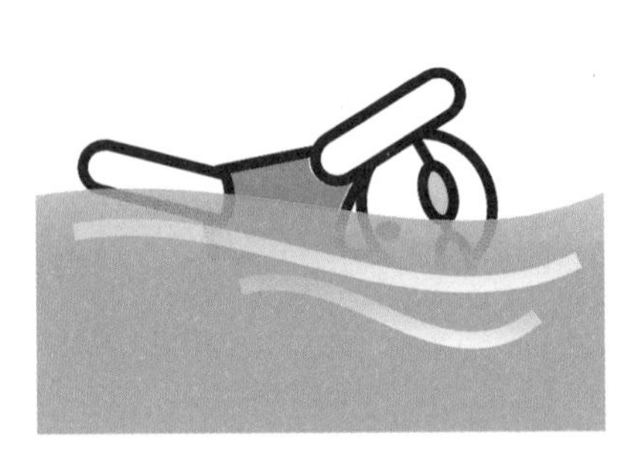

yóuyǒng
游泳

huábīng
滑冰

第一部分

生词 Words and Phrases

1. huì 会 can
2. xiū 修 to repair, fix
3. diànnǎo 电脑 computer
4. de 得 *a structural particle used between a verb and a complement*
5. huài 坏 broken, bad
6. shàngwǎng 上网 to surf on line
7. kěnéng 可能 maybe, possible
8. bìngdú 病毒 virus

句子 Sentences

2
Tā xiū de hěn hǎo.
他修得很好。

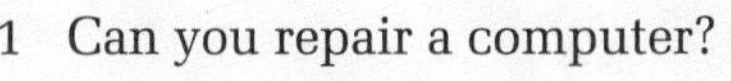

1 Can you repair a computer?
2 He does a good job on it.
3 I know a little.

会话 Dialogue

Jenny: Do you know how to repair a computer?
Song Lili: No, I don't, but Zhang Hua konws how. He does a good job on it.

Jenny: Zhang Hua, it's said that you know how to repair computers.
Zhang Hua: I know how to a little.
Jenny: My computer is broken, I can't get online anymore.
Zhang Hua: Maybe it has a virus.
Jenny: Is my computer sick?

Zhēnnī: Nǐ huì xiū diànnǎo ma?
珍妮： 你 会[21] 修 电脑 吗？

Sòng Lìli: Wǒ bú huì, Zhāng Huá huì. Tā xiū de hěn hǎo.
宋丽丽： 我 不 会，张 华 会。他 修 得[22] 很 好。

Zhēnnī: Zhāng Huá, tīngshuō nǐ huì xiū diànnǎo.
珍妮： 张 华，听说 你 会 修 电脑。

Zhāng Huá: Wǒ huì yìdiǎnr.
张 华： 我 会 一点儿。

Zhēnnī: Wǒ de diànnǎo huài le, bù néng shàngwǎng le.
珍妮： 我 的 电脑 坏 了，不 能[23] 上网 了。

Zhāng Huá: Kěnéng yǒu bìngdú.
张 华： 可能 有 病毒。

Zhēnnī: Diànnǎo yě bìng le?
珍妮： 电脑 也 病 了？

注释

Notes

会[21] "Huì" expresses the grasp of a skill through learning, while it also expresses possibility in Lesson 11.

得[22] Here is the degree complement. Structural particle "de" occurs between a verb and a complement which illustrates the degree of the action. The question form is "verb + de + adj + ma?" or "verb+de+zěnme yàng?"

能[23] The auxiliary verb "néng" expresses possibility provided by circumstances or reason. Eg: "Míngtiān wǒ bù néng qù shàngbān."

活动 Activities

语音练习
Listen and read

kànkan —— shìshi
shuōshuo —— tīngting
xiǎngxiang —— chángchang

看图说话
Make sentences according to the pictures

Nǐ huì xiū diànnǎo ma?
你会修电脑吗？

Wǒ bú huì xiū.
我不会修。

Tā huì xiū.
他会修。

kāichē
开车

zuò fàn
做饭

shuō Hànyǔ
说汉语

huà huà
画画

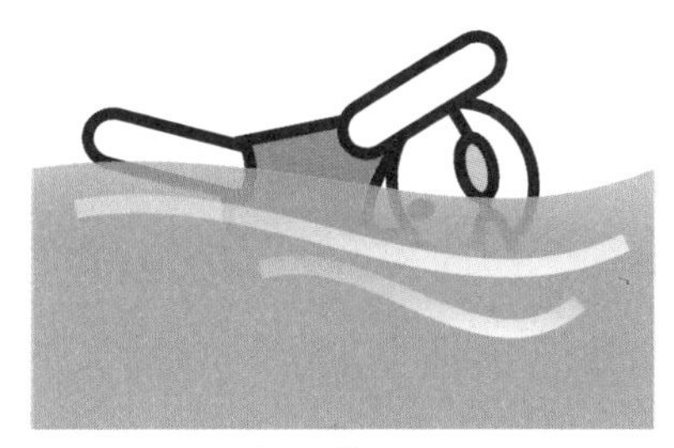

yóuyǒng
游泳

huábīng
滑冰

huì ma 会……吗？	huì 会……	bú huì 不会……
	Wǒ huì kāichē. 我会开车。	
		Tā bú huì zuò fàn. 他不会做饭。
Nǐ huì shuō Hànyǔ ma? 你会说汉语吗？		

替换练习
Substitution

- 你会说汉语吗？ Nǐ huì shuō Hànyǔ ma?
- 会说一点儿。 Huì shuō yìdiǎnr.
- 说得好吗？ Shuō de hǎo ma?
- 说得不太好。 Shuō de bú tài hǎo.

英语	Yīngyǔ
法语	Fǎyǔ
俄语	Éyǔ
德语	Déyǔ
西班牙语	Xībānyáyǔ

很好	hěn hǎo
不太好	bú tài hǎo

第二部分

生词 Words and Phrases

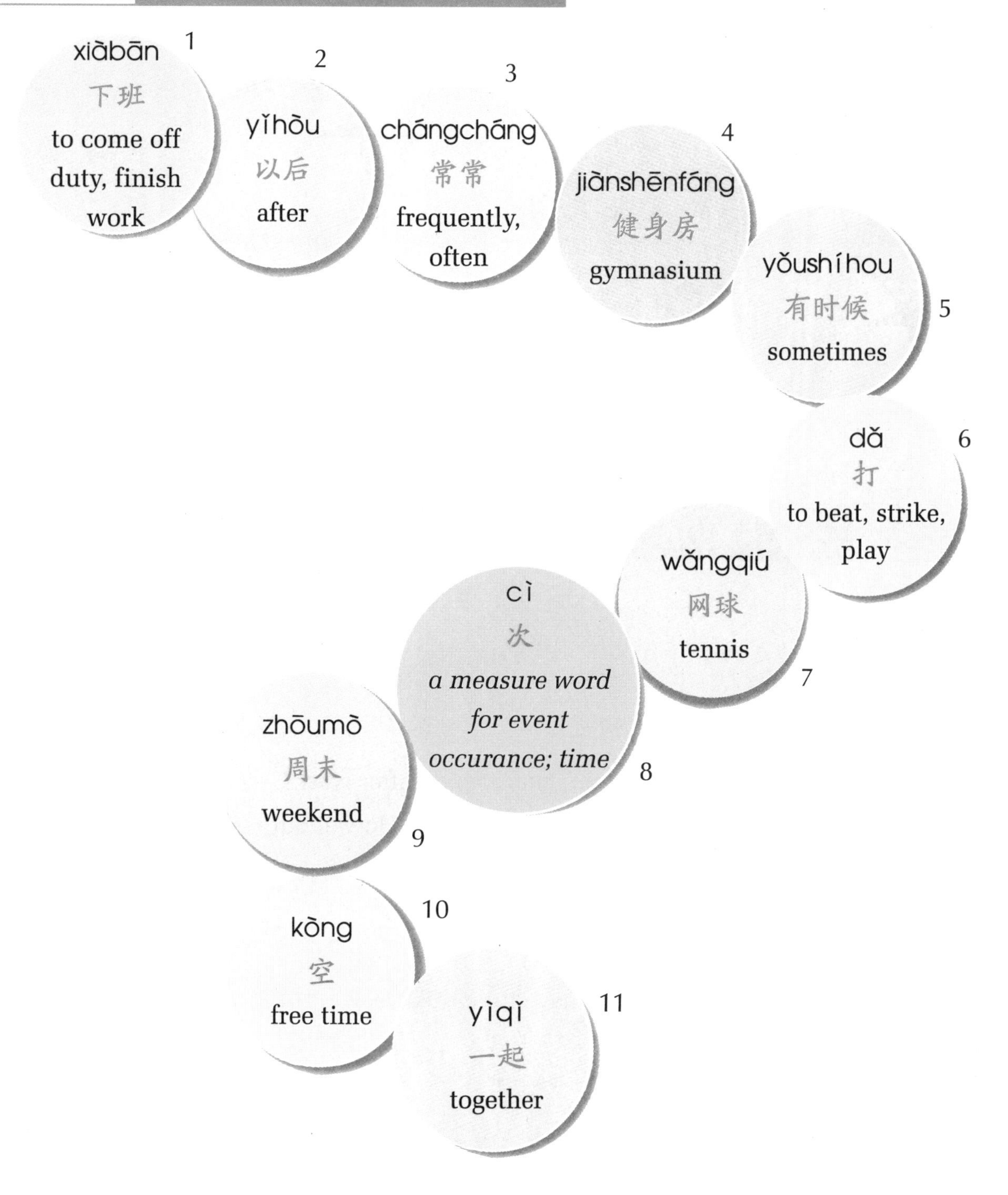

句子 Sentences

1 Xiàbān yǐhòu nǐ chángcháng zuò shénme?
下班 以后 你 常常 做 什么？

2 Yǒushíhou dǎ wǎngqiú.
有时候 打 网球。

3 Yí gè xīngqī jǐ cì?
一个 星期 几 次？

1 What do you often do after work?
2 Sometimes I play tennis.
3 How many times a week?

会话 Dialogue

Martin: What do you often do after work?
Zhang Hua: I go to the gymnasium. How about you?
Martin: Sometimes I play tennis.
Zhang Hua: How many times a week?
Martin: Twice a week.
Zhang Hua: Do you have time this weekend? Let's play tennis together.
Martin: Great.

Mǎdīng: Xiàbān yǐhòu nǐ chángcháng zuò shénme?
马丁：下班 以后 你 常常 做 什么？

Zhāng Huá: Qù jiànshēnfáng. Nǐ ne?
张 华：去 健身房。你 呢？

Mǎdīng: Wǒ yǒushíhou dǎ wǎngqiú.
马丁：我 有时候 打 网球。

Zhāng Huá: Yì xīngqī jǐ cì?
张 华：一 星期 几 次？

Mǎdīng: Liǎng cì.
马丁：两 次。

Zhāng Huá: Zhè zhōumò nǐ yǒu kòng ma? Wǒmen yìqǐ dǎ wǎngqiú ba.
张 华：这 周末 你 有 空 吗？我们 一起 打 网球 吧。

Mǎdīng: Tài hǎo le.
马丁：太 好 了。

活动 Activities

替换练习 Substitution

Zhōumò wǒ yǒushíhou dǎ wǎngqiú.
周末 我 有时候 打 网球。

yǒushíhou
有时候
chángcháng
常常
zǒngshì
总是
kàn diànshì
看 电视
mǎi dōngxi
买 东西
páshān
爬山
kàn shū
看 书

学词语说句子
Read and speak

Xiàbān yǐhòu nǐ chángcháng zuò shénme?
▸ 下班　以后　你　常常　做　什么？

Wǒ yǒushíhou qù shāngdiàn mǎi dōngxi,
▸ 我　有时候　去　商店　买　东西，

yǒushíhou zài jiā kàn shū.
有时候　在　家　看　书。

gōngyuán
公园

jiànshēnfáng
健身房

jiànshēn
健身

sànbù
散步

yóuyǒngguǎn

游泳馆

yóuyǒng
游泳

yǔyán xuéxiào
语言 学校

(zài) jiā
(在) 家

xué Hànyǔ
学 汉语

shàngwǎng
上网

角色扮演
Role play

说说你的业余生活
Talk about your leisure activities

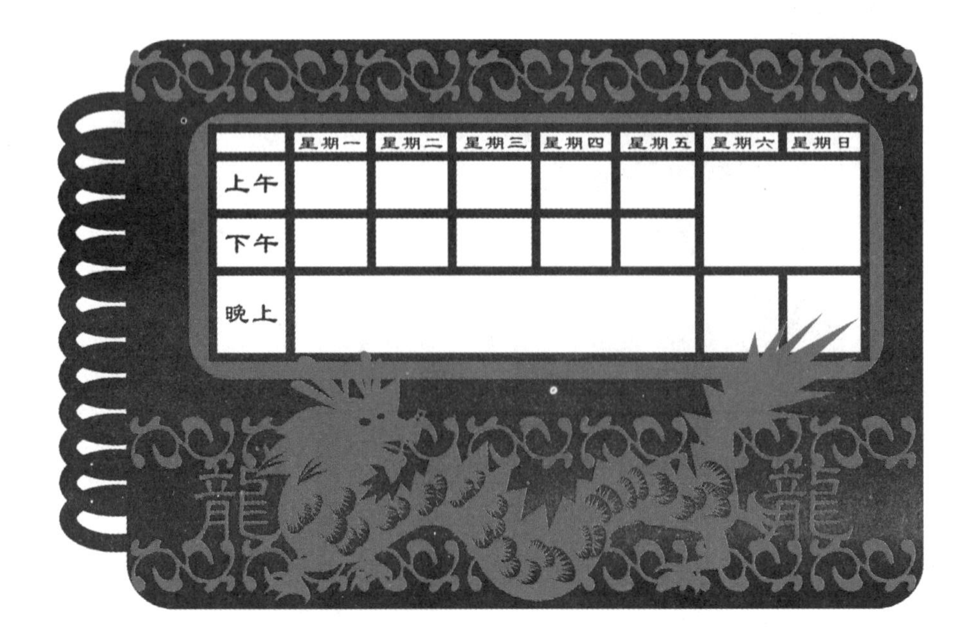

	星期一	星期二	星期三	星期四	星期五	星期六	星期日
上午							
下午							
晚上							

听录音选择正确答案
Listen and choose the appropriate response

1. a. Sòng Lìli huì kāichē. 宋丽丽会开车。 b. Sòng Lìli bú huì kāichē. 宋丽丽不会开车。

2. a. Sòng Lìli chángcháng dǎ wǎngqiú. 宋丽丽常常打网球。 b. Sòng Lìli yǒushíhou dǎ wǎngqiú. 宋丽丽有时候打网球。

认汉字
Characters

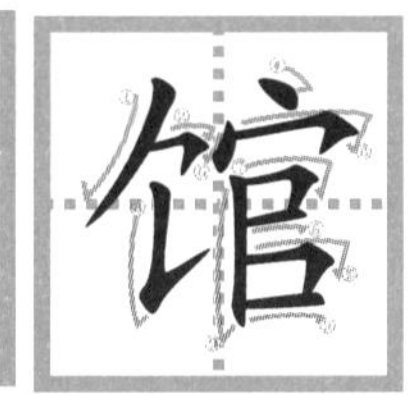

yóuyǒngguǎn
public swimming pool

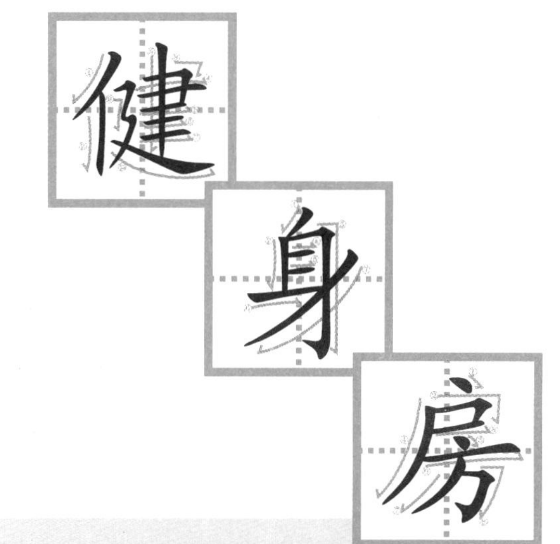

jiànshēnfáng
gymnasium

你知道吗？

Do You Know?

中国人在听到别人赞美自己时，往往会谦虚一番："哪里哪里！"课文中张华听到珍妮的赞扬后，谦虚地回答说："会一点儿。"

When the Chinese people are praised by the others, they often answer humbly like this: "nǎili nǎli". In this text, Zhang Hua replied to Jenny with "huì yìdiǎnr".

补充词语表 Supplementary Words & Phrases

做饭	zuò fàn	to cook
画画	huà huà	to draw picture
游泳	yóuyǒng	to swim
滑冰	huábīng	to skate
汉语	Hànyǔ	Chinese
英语	Yīngyǔ	English
法语	Fǎyǔ	French
俄语	Éyǔ	Russian
德语	Déyǔ	German
西班牙语	Xībānyáyǔ	Spanish

不错	bú cuò	not bad
总是	zǒngshì	always
东西	dōngxi	thing

爬山	pá shān	to climb mountain
健身	jiànshēn	body-building
散步	sànbù	to take a walk
游泳馆	yóuyǒngguǎn	public swimming pool
语言学校	yǔyán xuéxiào	language school
学	xué	to learn, study

Tài lěng le!

太冷了！

It's too cold!

学习目标 Objectives

- 学会描述一地的气候、天气情况
  Learning how to describe the weather and the climates

太冷了！

热身 Warm-Up

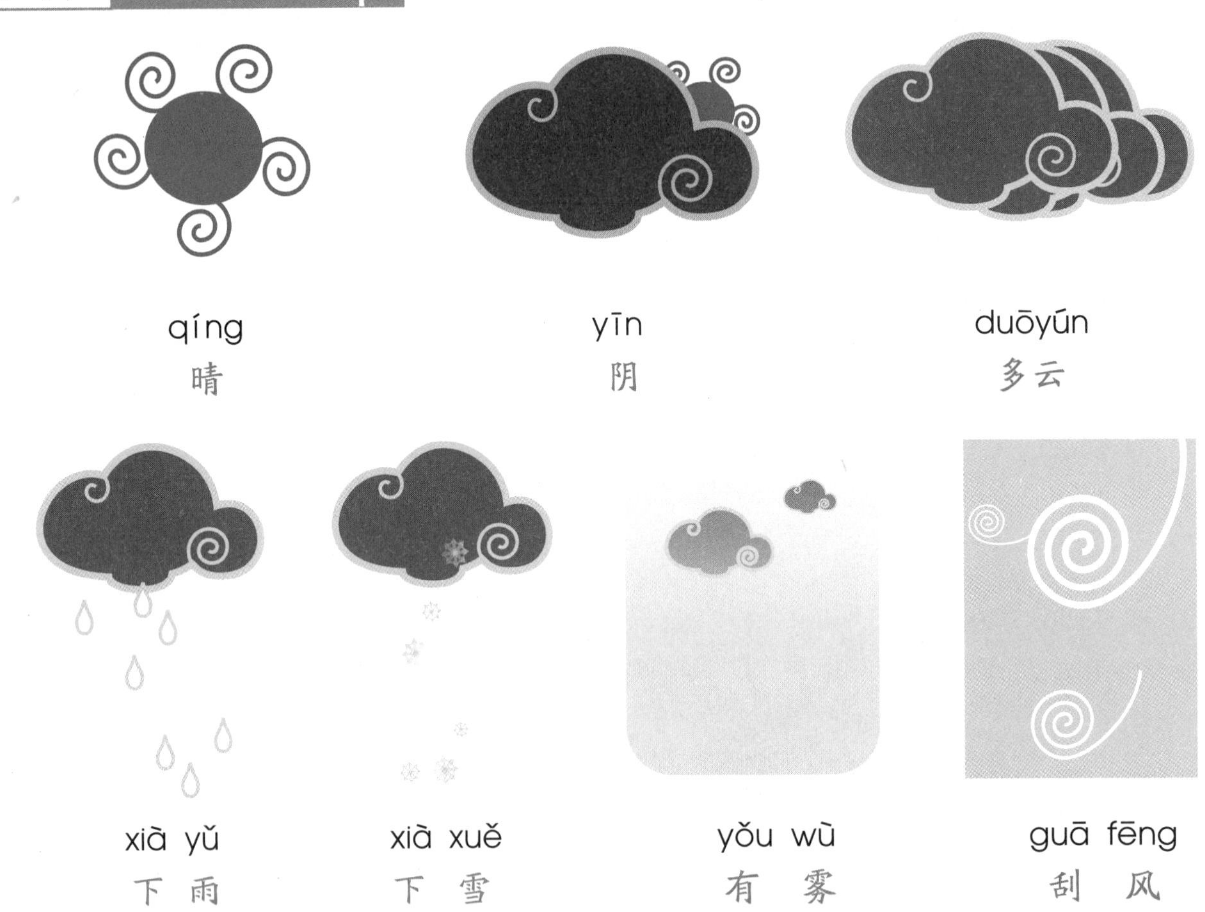

第一部分

生词 Words and Phrases

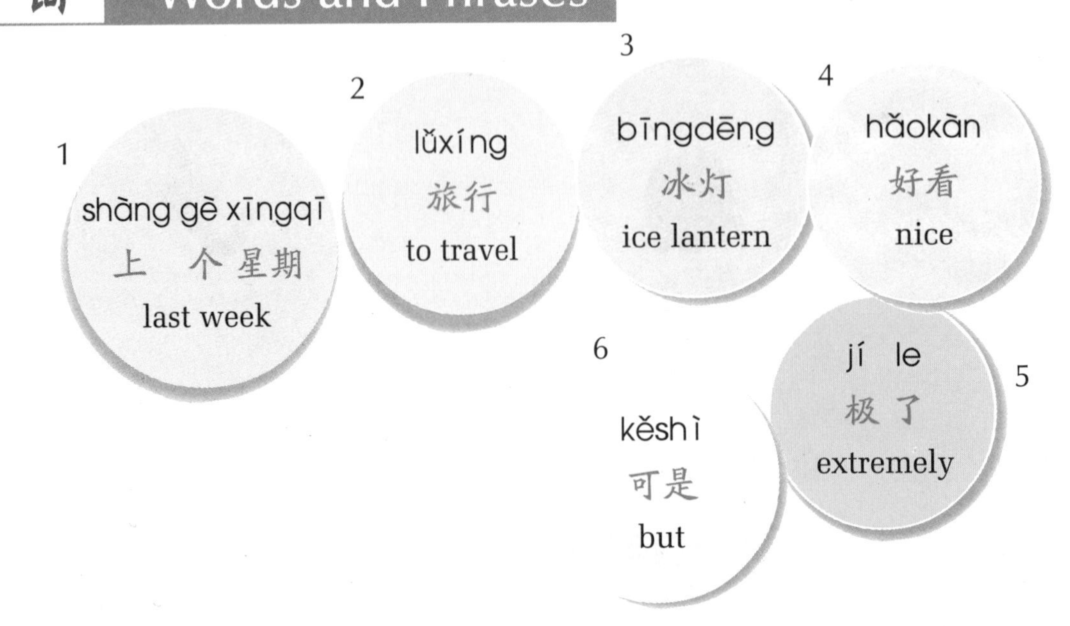

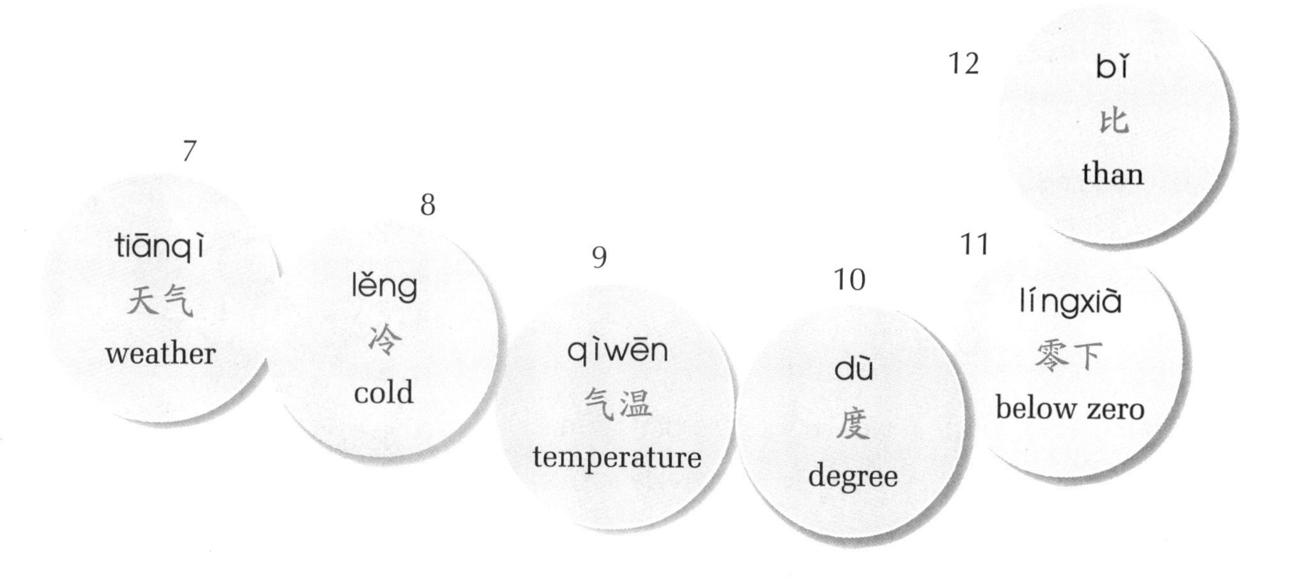

句子 Sentences

会话 Dialogue

Mǎdīng: Tīngshuō shǎng gè xīngqī nǐ qù lǚxíng le.
马丁：听说 上 个 星期你 去 旅行 了。

Zhāng Huá: Duì, wǒ qù Hā'ěrbīn kàn bīngdēng le.
张 华：对，我 去 哈尔滨 看 冰灯 了。

Mǎdīng: Bīngdēng hǎo kàn ma?
马丁：冰灯 好 看 吗？

Zhāng Huá: Piàoliang jí le, kěshì nàr de tiānqì tài lěng le.
张 华：漂亮 极了，可是 那儿 的 天气 太 冷 了。

Mǎdīng: Nàr de qìwēn shì duōshao dù?
马丁：那儿 的 气温 是 多少 度？

Zhāng Huá: Líng xià èrshí'èr dù.
张 华：零 下 二十二 度。

Mǎdīng: Bǐ Běijīng lěng duō le.
马丁：比 北京 冷 多 了。

Zhang Hua: I heard that you went traveling last week.
Martin: Yes, I went to Ha'erbin to see the icelanterns.
Zhang Hua: Are they nice?
Martin: Yes, they are extremely beautiful, but it is too cold there.
Zhang Hua: What is the temperature there?
Martin: It is minus 22 degrees.
Zhang Hua: It is much colder than Beijing.

活动 Activities

语音练习
Listen and read

练一练
Read and practise

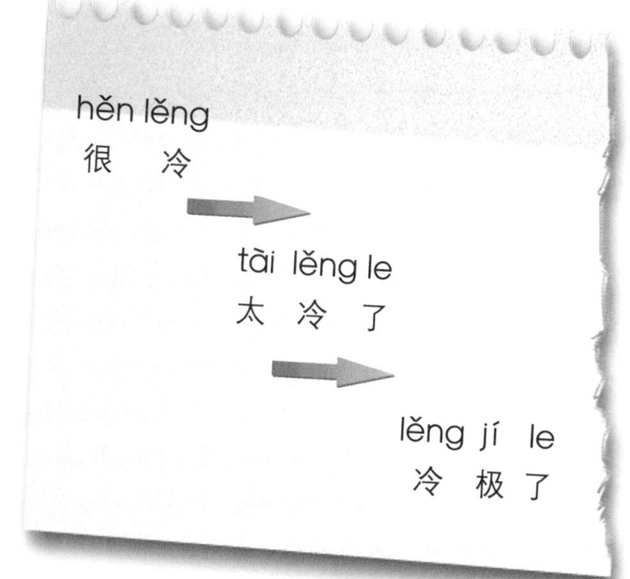

很好 hěn hǎo
很大 hěn dà
很忙 hěn máng
很高兴 hěn gāoxìng
很漂亮 hěn piàoliang

替换练习
Substitution

Hā'ěrbīn bǐ Běijīng lěng.
哈尔滨 比 北京 冷。

jīntiān 今天	zuótiān 昨天	rè 热
chūntiān 春天	dōngtiān 冬天	nuǎnhuo 暖和
tā 她	tā jiějie 她 姐姐	hǎokàn 好看
zhè jiàn máoyī 这 件 毛衣	nà jiàn máoyī 那 件 毛衣	guì 贵

Hā'ěrbīn bǐ Běijīng lěng duō le.
哈尔滨 比 北京 冷 多 了。

fàndiàn 饭店	fànguǎn 饭馆	dà 大
dōngtiān 冬天	qiūtiān 秋天	lěng 冷
fēijī 飞机	qìchē 汽车	kuài 快
píngguǒ 苹果	cǎoméi 草莓	piányi 便宜
Běijīng 北京	Shànghǎi 上海	gānzào 干燥

第二部分

生词 Words and Phrases

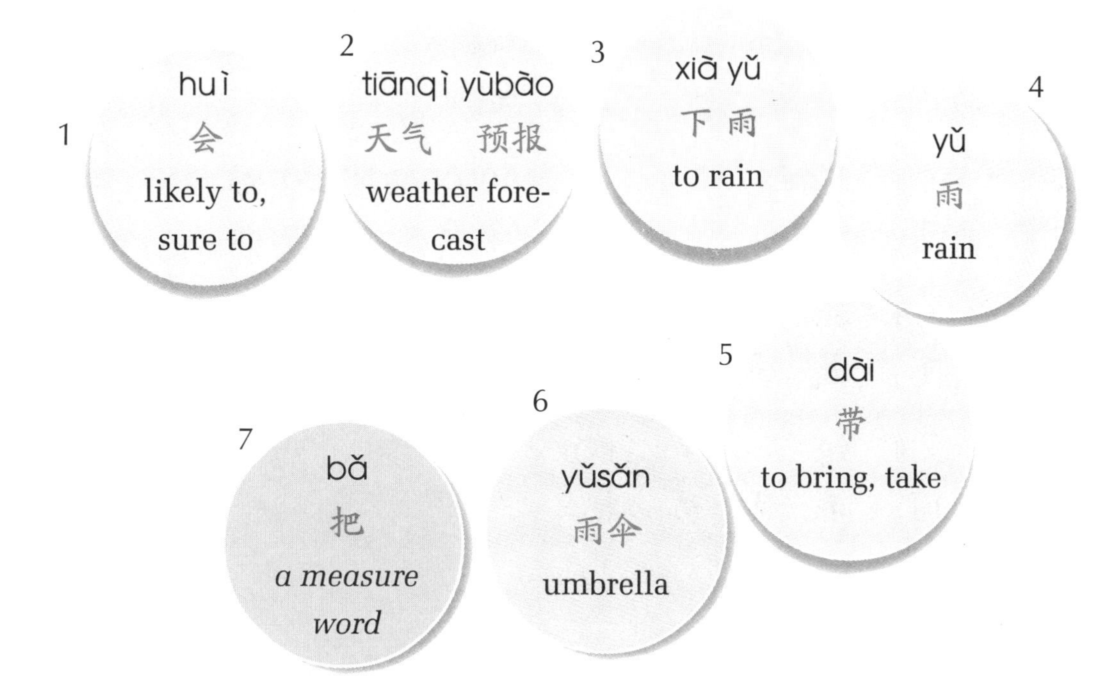

1. huì 会 likely to, sure to
2. tiānqì yùbào 天气 预报 weather forecast
3. xià yǔ 下雨 to rain
4. yǔ 雨 rain
5. dài 带 to bring, take
6. yǔsǎn 雨伞 umbrella
7. bǎ 把 *a measure word*

句子 Sentences

2 Tiānqì yùbào shuō jīntiān yǒu dà yǔ.
天气 预报 说 今天 有 大雨。

1 Jīntiān huì xià yǔ ma?
今天 会 下雨 吗?

3 Wǒ méi dài yǔsǎn.
我 没 带 雨伞。

1 Will it rain today?
2 The weather forecast says it will rain today.
3 I haven't brought my umbrella.

会话 Dialogue

Mǎdīng: Jīntiān huì xià yǔ ma?
马丁：今天 会 下 雨 吗？

Sòng Lìli: Tiānqì yùbào shuō jīntiān yǒu dà yǔ.
宋 丽丽：天气 预报 说 今天 有 大 雨。

Mǎdīng: Shì ma? Wǒ méi dài yǔsǎn.
马丁：是 吗？我 没 带 雨伞。

Sòng Lìli: Wǒ yǒu liǎng bǎ yǔsǎn, gěi nǐ yì bǎ.
宋 丽丽：我 有 两 把 雨伞，给 你 一 把。

Mǎdīng: Tài hǎo le.
马丁：太 好 了。

Martin: Will it rain today?
Song Lili: The weather forecast says it will rain today.
Martin: Really? I haven't brought my umbrella.
Song Lili: I have two, I can give you one.
Martin: That's great.

活动 Activities

练一练
Read and practise

huì
……会……

jīntiān 今天	(guā fēng)（刮 风）	míngtiān 明天	(xià yǔ)（下 雨）
xiàwǔ 下午	(xià xuě)（下 雪）	wǎnshang 晚上	(yǒu wù)（有 雾）

请把下面的句子改成带“没”的否定句
Rewrite the following sentences by making negative sentences with "méi"

lì: Wǒ dài yǔsǎn le. → Wǒ méi dài yǔsǎn.
例：我 带 雨伞 了。→ 我 没 带 雨伞。

Shàngwǔ wǒ mǎi yǔsǎn le.
1. 上午 我 买 雨伞 了。→

Zuótiān wǎnshang xià xuě le.
2. 昨天 晚上 下 雪 了。→

Qiántiān wǒ hé péngyou qù fànguǎn le.
3. 前天 我 和 朋友 去 饭馆 了。→

Jīntiān zǎoshang guā dàfēng le .
4. 今天 早上 刮 大风 了。→

模仿说话
Imitation

lì: Běijīng de chūntiān hěn nuǎnhuo, yě hěn gānzào, chángcháng guā fēng.
例：北京 的 春天 很 暖和，也 很 干燥，常常 刮 风。

请用下面的词说说北京的夏天。

Describe the summer in Beijing with the following words.

xiàtiān	rè	cháoshī	xià yǔ
夏天	热	潮湿	下 雨

听录音判断对错

Listen and decide True or False

Běijīng xiàtiān hěn rè.
1. 北京 夏天 很 热。（ ）

Běijīng dōngtiān bù lěng.
2. 北京 冬天 不 冷。（ ）

Běijīng dōngtiān chángcháng xià xuě.
3. 北京 冬天 常常 下 雪。（ ）

认汉字

Characters

yǔ

rain

fēng

wind

xuě

snow

你知道吗？

Do You Know?

在古代，人们用动物做代表来纪年。一共用了十二种动物，每十二年是一个轮回。这十二种动物是：鼠、牛、虎、兔、龙、蛇、马、羊、猴、鸡、狗、猪。

In ancient time, people used animals to record the years. They used twelve animals altogether, so every twelve years completes a cycle.These twelve animals are: rat, cow, tiger, rabbit, dragon, snake, horse, sheep, monkey, lock, dog and pig.

补充词语表 Supplementary Words & Phrases

暖和	nuǎnhuo	warm
干燥	gānzào	dry
热	rè	hot
潮湿	cháoshī	humid
忙	máng	busy
高兴	gāoxìng	happy
飞机	fēijī	plane
汽车	qìchē	car

下雪	xià xuě	to snow
有雾	yǒu wù	foggy
刮风	guā fēng	windy
春天	chūntiān	spring
夏天	xiàtiān	summer
秋天	qiūtiān	autumn
冬天	dōngtiān	winter

晴	qíng	sunny
阴	yīn	overcast
多云	duōyún	cloudy

UNIT 12

Qǐng bǎ zhuōzi cā yíxiàr

请把桌子擦一下儿

Please clean the table

学习目标 Objectives

- 学会与家务活动相关的常用语
  Learning useful words and phrases for housework

热身 Warm-Up

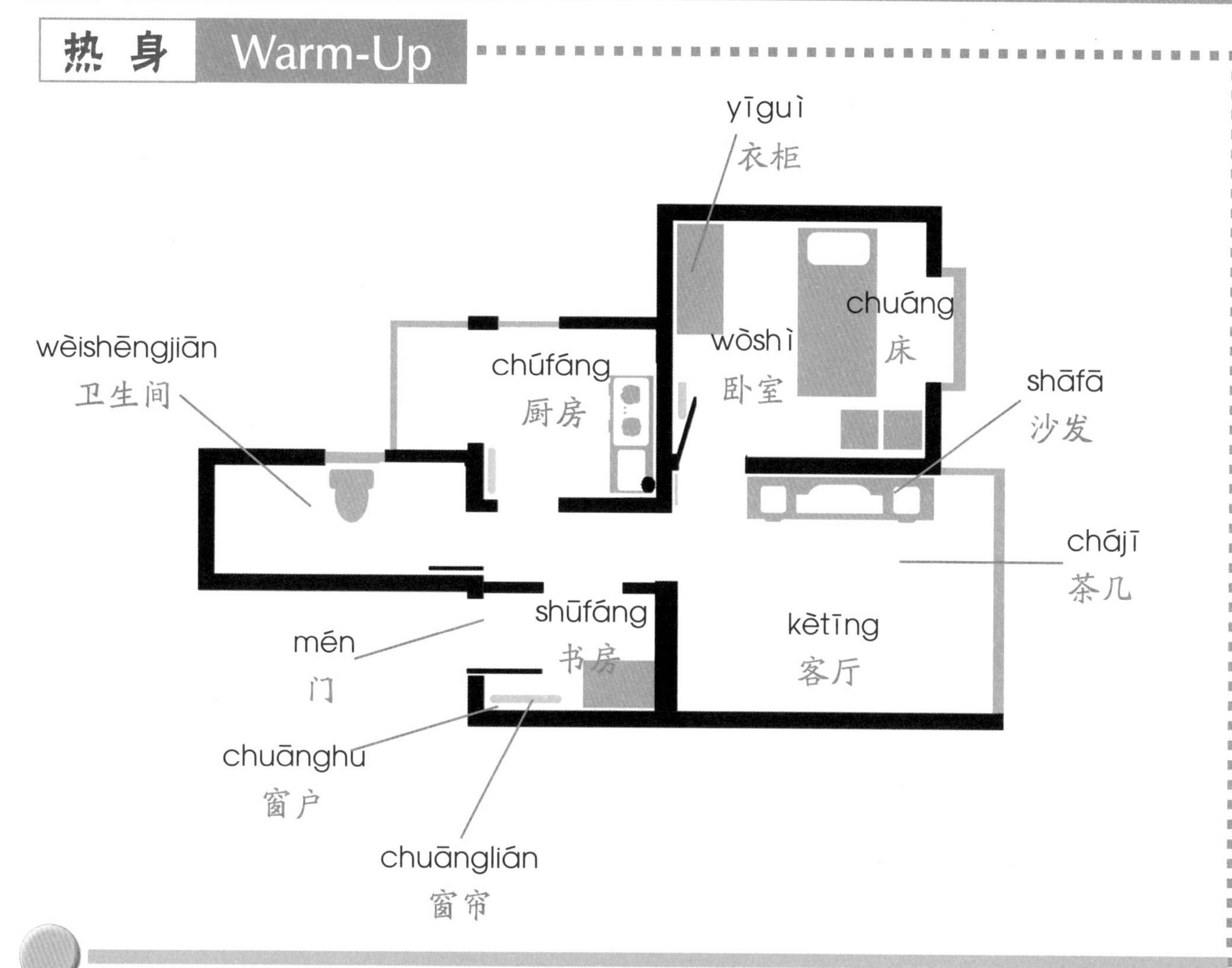

第一部分

生词 Words and Phrases

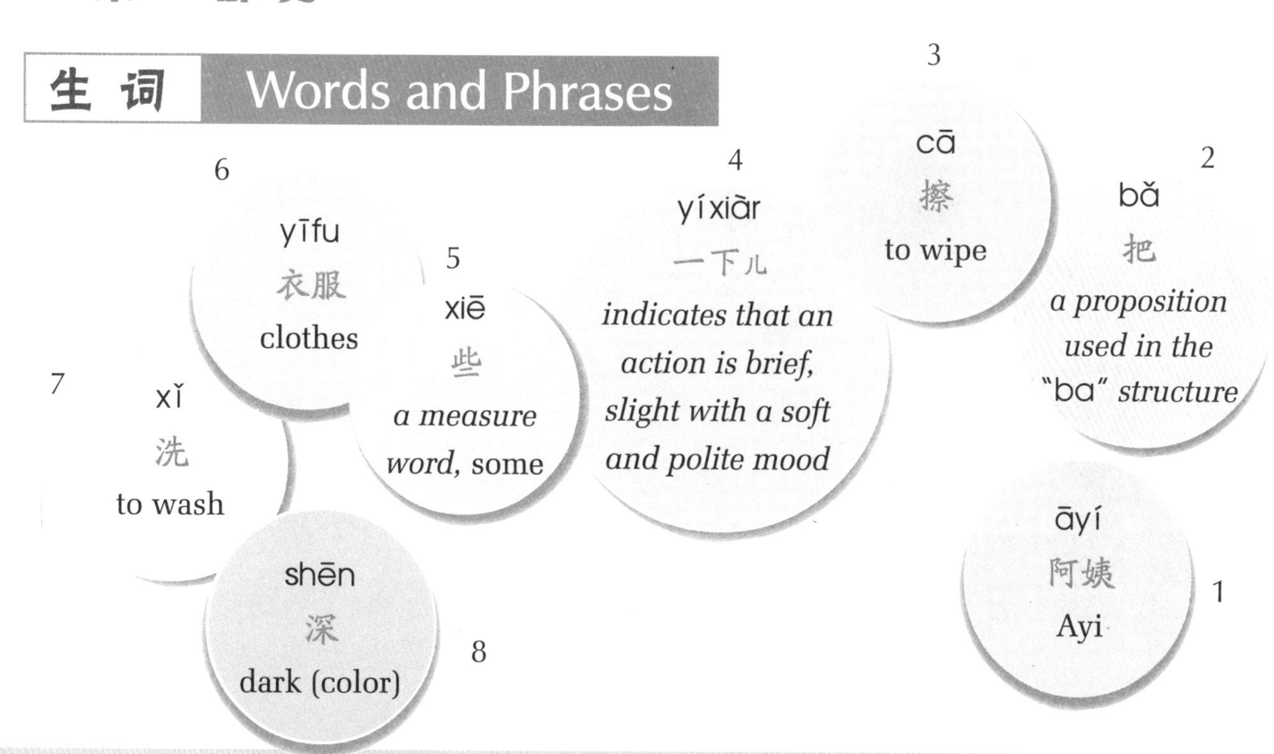

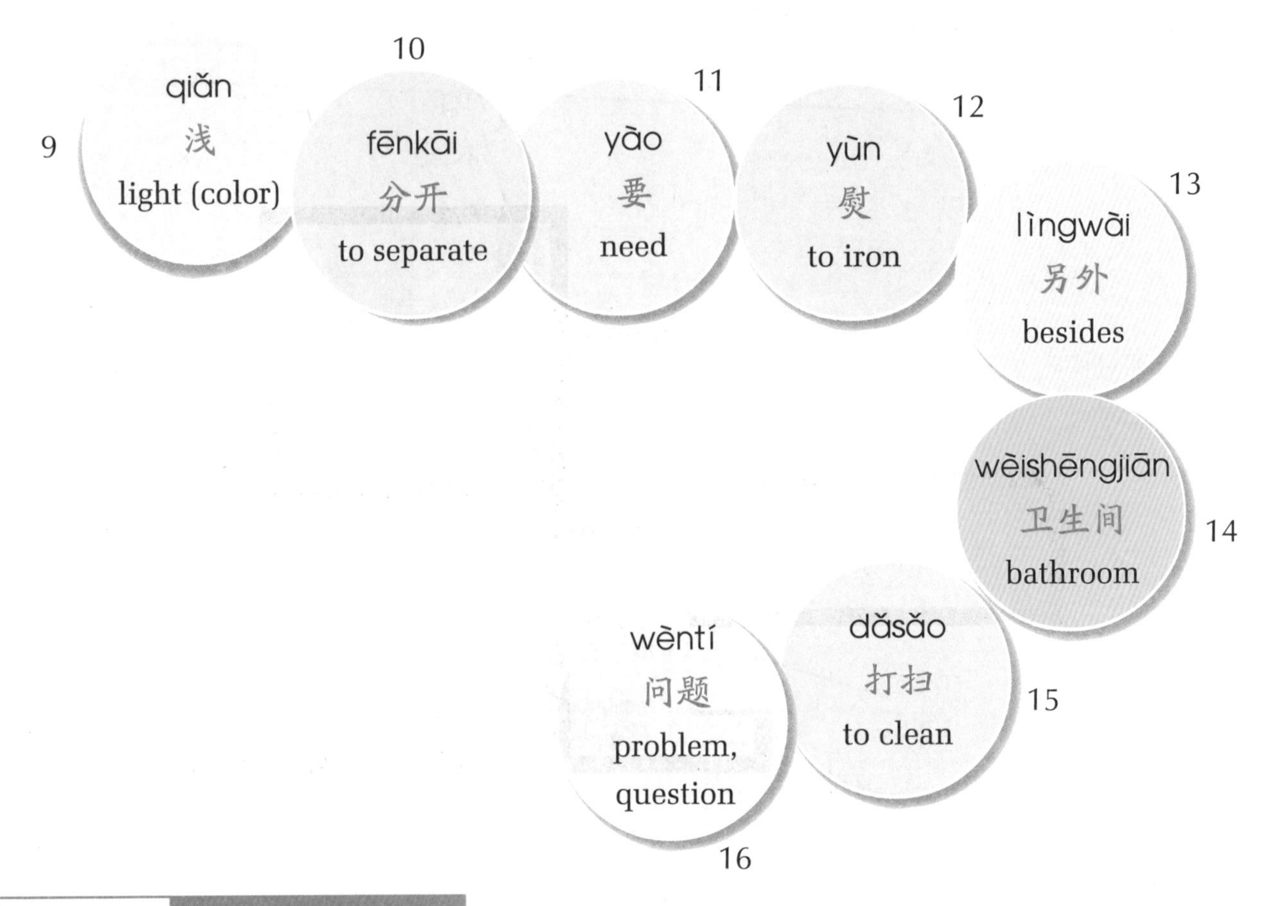

句子 Sentences

会话 Dialogue

Zhēnnī: Ayí, qǐng bǎ zhuōzi cā yíxiàr.
珍妮：阿姨，请 把 桌子 擦 一下儿[24]。

āyí: Hǎo.
阿姨：好。

Zhēnnī: Bǎ zhèxiē yīfu xǐ yíxiàr.
珍妮：把 这些 衣服 洗 一下儿。
Shēn yánsè de hé qiǎn yánsè de
深 颜色 的 和 浅 颜色 的
yào fēnkāi xǐ.
要 分开 洗。

āyí: Xíng. Nàxiē yīfu yào yùn ma?
阿姨：行。那些 衣服 要 熨 吗？

Zhēnnī: Yào. Lìngwài, qǐng nǐ bǎ wèishēngjiān yě dǎsǎo yíxiàr.
珍妮：要。另外，请 你 把 卫生间 也 打扫 一下儿。

āyí: Méi wèntí.
阿姨：没 问题。

注释 Notes

把 桌子 擦 一下儿[24] This is a "bǎ" sentence. In Chinese, one sometimes needs to emphasize how the object of a verb is disposed of and what result is brought about. To make a "bǎ" sentence, the preposition "bǎ" is used to lead the object preceding the verb, and the influence or result of the action is just put afterwards the verb , which makes a "bǎ" sentence. The word order of "bǎ" sentences is: subject (the doer of the action) + "bǎ" + object (things disposed of) + verb + other elements (like the influence or result of the action)

Jenny: Ayi, Please clean the table.

Ayi: OK.

Jenny: Please wash these clothes. Dark colors and light colors should be separated.

Ayi: OK. Shall I also iron those clothes?

Jenny: Yes, and besides that, please also clean the bathroom.

Ayi: No problem.

活动 Activities

语音练习
Listen and read

fángjiān	——	fàndiàn
zhuōzi	——	zhuózi
yīfu	——	xīfú
chúfáng	——	zūfáng

看图说句子
Make sentences according to the pictures

Ayí, qǐng bǎ zhuōzi cā yíxiàr
阿姨，请 把 桌子 擦 一下儿。

cā
擦

bōli
玻璃

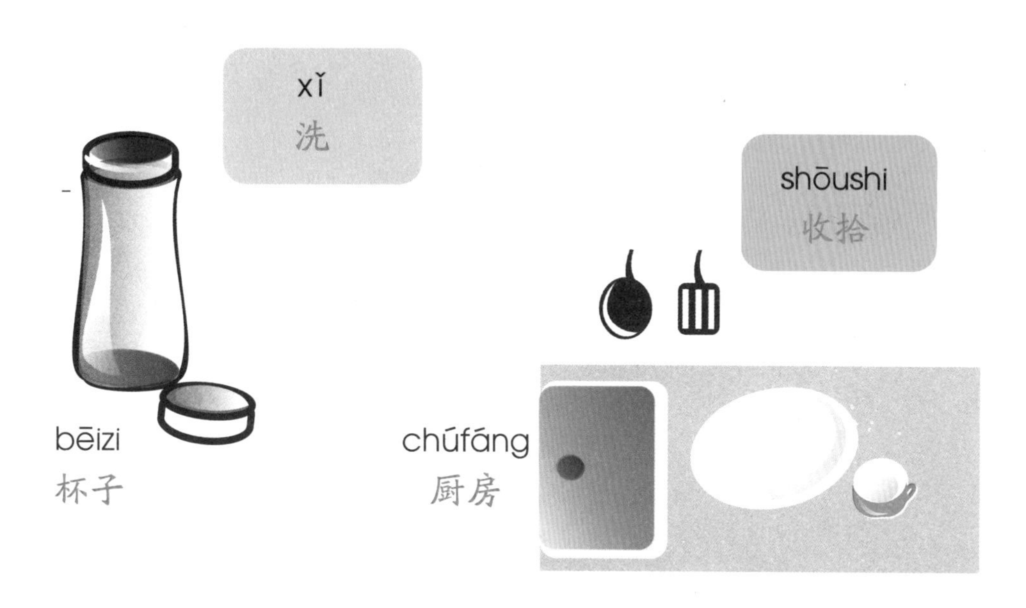

把下面的词按正确的顺序排列成句

Put the words in the right order to make sentences

dǎsǎo fángjiān yíxiàr qǐng bǎ
1. 打扫 房间 一下儿 请 把

āyí bǎ qǐng chuānglián yíxiàr xǐ
2. 阿姨 把 请 窗帘 一下儿 洗

bǎ yīfu zhèxiē yíxiàr yùn
3. 把 衣服 这些 一下儿 熨

zhuōzi qǐng shōushi bǎ yíxiàr
4. 桌子 请 收拾 把 一下儿

qǐng bēizi wǎn zhèxiē hé xǐ bǎ yíxiàr
5. 请 杯子 碗 这些 和 洗 把 一下儿

第二部分

生词 Words and Phrases

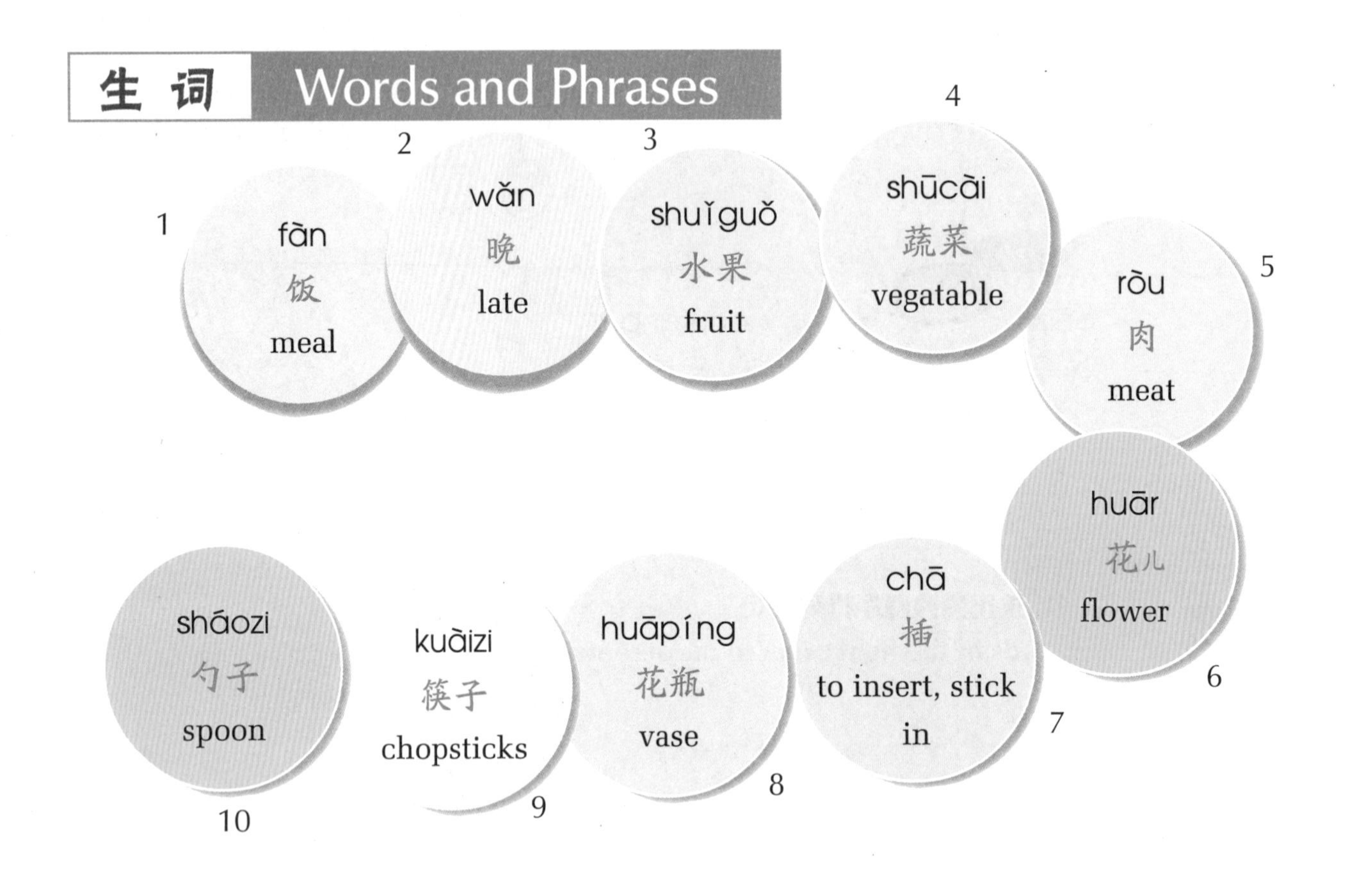

句子 Sentences

Bǎ zhèxiē kuàizi、sháozi、wǎn fàng dào zhuōzi shàng.
把 这些 筷子、勺子、碗 放 到 桌子 上。

Please put these chopsticks, spoons, and bowls on the table.

会话 Dialogue

Zhēnnī: Jīntiān wǎnshang wǒ de péngyou lái jiāli chī fàn,
珍妮：今天 晚上 我 的 朋友 来 家里 吃 饭，
nǐ wǎn diǎnr zǒu, xíng ma?
你 晚 点儿 走，行 吗？

āyí: Xíng.
阿姨：行。

Zhēnnī: Wǒ qù shāngdiàn mǎi le yìxiē shuǐguǒ、shūcài、ròu, hái yǒu huār.
珍妮：我 去 商店 买 了 一些 水果、蔬菜、肉，还 有 花儿。
Nǐ bǎ shūcài hé shuǐguǒ xǐ yíxiàr.
你 把 蔬菜 和 水果 洗 一下儿。

āyí: Hǎo. Bǎ huār chā dào huāpíng lǐ ma?
阿姨：好。把 花儿 插 到 花瓶 里 吗？

Zhēnnī: Duì. Lìngwài, bǎ zhèxiē kuàizi、sháozi、wǎn fàng dào zhuōzi shàng.
珍妮：对。另外，把 这些 筷子、勺子、碗 放 到 桌子 上。

Jenny: A friend of mine will come to have dinner here this evening, Could you please leave a bit later?

Ayi: OK.

Jenny: I went to the shop and bought some fruits, vegetables , meat, and also some flowers. Please wash these fruits and vegetables.

Ayi: OK. Shall I also put the flowers into the vase?

Jenny: Yes , and besides that, please put these chopsticks, spoons, and bowls on the table.

活动 Activities

看图说句子
Make sentences according to the pictures

Míngtiān wǎnshang wǒ de péngyou
明天 晚上 我 的 朋友

lái jiāli chī fàn.
来 家里 吃 饭。

看图完成下面的对话
Complete the dialogue according to the pictures

Bǎ huār chā dào huāpíng lǐ ma?
把 花儿 插 到 花瓶 里 吗?

Duì. Lìngwài, bǎ zhèxiē kuàizi、sháozi、wǎn fàng dào zhuōzi shàng.
对。另外，把 这些 筷子、勺子、碗 放 到 桌子 上。

bēizi、pánzi
杯子、盘子

chúfáng
厨房

yú
鱼

bīngxiāng
冰箱

yīfu
衣服

yīguì
衣柜

shū
书

shūguì
书柜

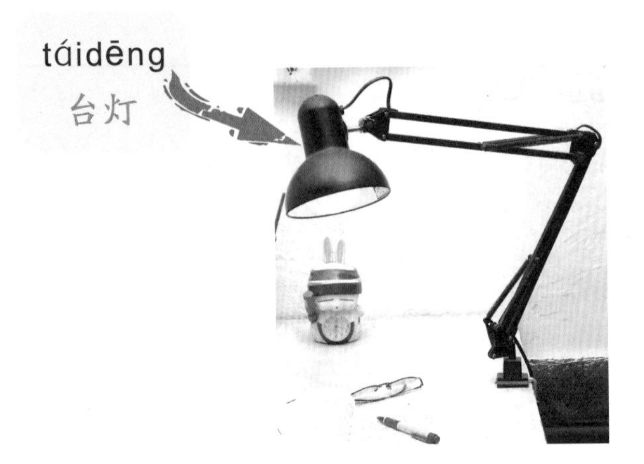

zhuōzi
桌子

chuāngtái
窗台

试用“把”字句请阿姨做下列事情
Try to use the “bɑ” pattern to ask your Ayi to do the following things

Put the apples in the refrigerator.
Put the bowls in the kitchen.
Put the books on the table.
Put sweater in the wardrobe.
Put the flowers on the table.

bǎ
把

听录音选择正确答案
Listen and choose the appropriate response

下列事情中哪一件阿姨不需要做？
Which of the following things doesn't Ayi need to do?

☐ dǎsǎo fángjiān
a. 打扫 房间

☐ xǐ yīfu
b. 洗 衣服

☐ yùn yīfu
c. 熨 衣服

☐ bǎ yīfu fàng dào yīguì lǐ
d. 把 衣服 放 到 衣柜 里

认汉字
Characters

gōnggòng wèishēngjiān

nǚ

nán

你知道吗？

Do You Know?

中国的亲属称谓比较复杂，依年龄、性别、父系母系和地域而不同，比如说，英文中没有区别的，中文中要区别称呼，称爸爸的父母为“爷爷”、“奶奶”，称妈妈的父母为“姥爷”、“姥姥”，后者在南方称为“外公”、“外婆”。

中国的亲属称谓也广泛用于社会上非亲属关系的朋友、同事之间或邻里之间，以表示亲切和尊敬。例如：同龄人常以兄、弟、姐、妹相称，年轻人称与父母年龄相近的人为叔叔、阿姨等，称与祖父辈差不多年纪的人为爷爷、奶奶等。本课中“阿姨”是对女性“保姆”的习惯称法。

The way to address one's relatives in China is quite complicated. It's varies according to one's age, gender, location, and whether it is the paternal or maternal side of the family, etc. For example, "grandparents" in English should be called "yéye" and "nǎinai" for one's father's father and mother, and "lǎoye" and "lǎolao" for one's mother's father and mother, while "wàigōng" and "wàipó" for the latter in south of China. Chinese people also addresses friends, colleagues, and neighbors in the ways similar to relatives in order to show close relationship and respect. For example, people of about the same age call each other "xiōng", "dì", "jiě" or "mèi", while they call someone who is similar in age to his parents "shūshu" or "āyí". And they would call some one who is similar in age to his grandparents "yéye" or "nǎinai". The "āyí" in this lesson is the normal way to address "babysitter" or "housekeeper".

补充词语表 Supplementary Words & Phrases

接	jiē	to pick up
收拾	shōushi	to tidy up
杯子	bēizi	cup

门	mén	door
床	chuáng	bed
窗户	chuānghu	window
窗帘	chuānglián	window curtain
窗台	chuāngtái	windowsill
沙发	shāfā	sofa
茶几	chájī	tea table
玻璃	bōlí	glass
台灯	táidēng	table lamp

卧室	wòshì	bedroom
客厅	kètīng	sitting room
书房	shūfáng	study room
厨房	chúfáng	kitchen

录音文本
Scripts

Unit 1

1. 你好吗？
2. 您贵姓？

Unit 2

1. 马丁：　你今天去朋友家吗？
   珍妮：　不去，我明天下午去。
   马丁：　你几点去？
   珍妮：　我三点半去。

2. 珍妮：　马丁，你几点吃晚饭？
   马丁：　现在几点？
   珍妮：　现在六点一刻。
   马丁：　我七点吃晚饭。

Unit 3

1. 张华：　草莓怎么卖？
   卖水果的人：　十五块一斤。要多少？
   张华：　要一斤。

2. 珍妮：　毛衣怎么卖？
   卖衣服 的人：　三百八。
   珍妮：　太贵了，一百八，行吗？
   卖衣服 的人：　不行。

Unit 4

1. 我不要面条，我要一碗米饭。
2. 小姐，给我一个盘子。

Unit 5

1. 宋丽丽：　汤姆，你有哥哥吗？
   汤姆：　没有，我有一个姐姐和一个弟弟。

2. 珍妮：　小明，你今年多大？
   小明：　六岁。

Unit 6

1. 马丁：　喂？您好！
   宋丽丽：　你好！你哪位？
   马丁：　我是马丁。珍妮在吗？
   宋丽丽：　在，请稍等。

2. 马丁：　喂？你找谁？
   宋丽丽：　珍妮在吗？
   马丁：　不在，她去飞机场了。
   宋丽丽：　我是宋丽丽。请她给我回电话，行吗？
   马丁：　你的电话是多少？
   宋丽丽：　65323005。

Unit 7

1. 张华：　请问去王府井怎么走？
   珍妮：　一直走，然后往右拐。
   张华：　到红绿灯往右拐吗？
   珍妮：　对。

2. 张华：　你怎么回家？
   珍妮：　坐出租车。
   张华：　要多长时间？
   珍妮：　20 分钟。

Unit 8

1. 朝阳公园离我家不远，就在我家的西边。
2. 公园西边有一个大超市，那里的东西很多很便宜。
3. 公园南边还有一个饭馆，我每星期去那儿吃饭。

Unit 9

1. 珍妮：　你怎么了？
   张华：　我不舒服。
   珍妮：　你感冒了？
   张华：　不，我累了。

2. 珍妮：　马丁怎么了？
张华：　他感冒了。
珍妮：　他去医院了吗？
张华：　没去，他休息两天就好了。

Unit 10

1. 张华：　宋丽丽，你怎么去上班？
宋丽丽：　我骑车去。
张华：　你会开车吗？
宋丽丽：　会。

2. 张华：　宋丽丽，下班以后你常常打网球吗？
宋丽丽：　有时候打。
张华：　今天打吗？
宋丽丽：　今天我去游泳。

Unit 11

北京夏天很热，常常下雨。冬天很冷，可是不常下雪。

Unit 12

马丁：　阿姨，请把房间打扫一下儿。
阿姨：　好，这些衣服要洗吗？
马丁：　要。另外，把那些衣服放到衣柜里。
阿姨：　行。

语 言 注 释
Language Notes

Unit 1

1. “您贵姓？”
“您”是你的尊称。一般用于正式场合或针对长者。
2. “吗”
是最常用的疑问词它总是出现在句子的结尾，表示一个简单的疑问。
3. “呢”
可表示一种疑问。在有上文的情况下，常就上文谈到的情况进行提问。
4. “不”
表示否定，用在它所否定的词的前面。

Unit 3

5. “两”
中文 “两”和“二”都表示“2”这个数目。当“2” 用于普通量词前表示某一事物的数量时，一般要用“两”。如：“两斤苹果”。但数字“12、20、22”应读“十二、二十、二十二”。
6. “件”
是衣服的量词。现代汉语中，数词一般不能单独用在名词前，需和量词组合后一起用在名词前。而且，不同事物一般都有自己特定的量词。其中，“个”是运用最广泛的一个量词。
7. “的”
名词、动词、形容词、代词及某些短语后加“的”，构成“的”字结构，这个结构在句中的语法功能相当于一个名词的语法功能。“的”字结构一定要在语义清楚的情况下使用。
8. “试试”
是动词“试”的重叠形式。汉语中有些动词可以重叠使用，表示轻松、随便的语气，或动作时间短、幅度小，也可表示尝试的意思。

Unit 4

9. “能……吗”
表示请求。
10. “结账”
也可以说“买单”。

Unit 5

11. “有”
“有”的否定式是“没有”。
12. “你哥哥今年多大”
这是用来问成年人年龄的方法，问老人说“您今年多大年纪？”，问小孩说“你今年几岁？”
13. “漂亮”
形容词可以单独作谓语，不需要“是”。

Unit 6

14. “在不在”
汉语中，把动词、形容词的肯定形式和否定形式并列起来，可以构成正反疑问句，这种疑问句的作用和用“吗”的一般疑问句类似，但句尾不能再用“吗”。
15. “就”
表示强调，意思是接电话的不是别人，正好是对方要找的人。
16. “了”
主要表示动作的状态变化，肯定某件事或某个情况已经发生。这类句子的否定形式是在动词前加副词“没（有）”，去掉句尾“了”。
17. “13601237445”
在电话号、房间号、车牌号等号码中，数字“1”一般读作“yāo”。

Unit 7

18. “吧”
用在陈述句尾，表示建议的口气。

Unit 9

19. “有一点儿”
通常放在动词或形容词前面，表示程度轻微。

20. **“了”**

语气助词“了”在此处表示情况发生了变化。

Unit 10

21. **“会”**

助动词“会”表示经过学习掌握了某种技能。有时也表示有可能（见第11课）。

22. **“得”**

这是程度补语的表达方式，助词“得”出现在动词和补充说明动作进行程度的词之间。疑问句形式为：“动词＋得＋形容词＋吗？”或者“动词＋得＋怎么样？”

23. **“能”**

助动词“能”在此表示环境或情理上许可。例如“明天我不能去上班。”

Unit 12

24. **“把桌子擦一下儿”**

这是一个“把”字句。汉语里有时要强调施事主语对受事宾语加以处置，并产生一定的影响、结果时，就用介词“把”将受事宾语提前到谓语动词前，谓语后是对受事宾语处置后的影响与结果，这样的句子叫“把”字句。其基本格式为：主语（施事）＋把＋名词（受事）＋动词＋其他成分。

词 汇 表
Vocabulary

阿姨	āyí	Ayi	12
矮	ǎi	short	*5
八	bā	eight	*1
把	bǎ	a preposition used in the “ba” structure	12
把	bǎ	a measure word	*4;11
爸爸	bàba	father	5
吧	ba	a particle expressing a suggestion	7
白	bái	white	*3
搬家	bānjiā	to move	8
半	bàn	half	2
办公室	bàngōngshì	office	*6
薄	báo	thin	*3
保安	bǎo'ān	security guard	*5
杯子	bēizi	cup	*12
北	běi	north	*7
本	běn	a measure word	8
比	bǐ	than	11
别	bié	don't (used in an imperative sentence)	4
别的	biéde	others	4
冰灯	bīngdēng	ice lantern	11
冰箱	bīngxiāng	refrigerator	*8
病	bìng	ill, sick, illness	9
病毒	bìngdú	virus	10
病人	bìngrén	patient	9
玻璃	bōlí	glass	*12
不错	bú cuò	not bad	*10
不客气	bú kèqi	You are welcome.	*1
不	bù	not, no	1
擦	cā	to wipe	12
草莓	cǎoméi	strawberry	3
菜	cài	dish	4
菜单	càidān	menu	4
餐巾纸	cānjīnzhǐ	napkin	4
插	chā	to insert, stick in	12
叉子	chāzi	fork	*4
茶	chá	tea	*4
茶几	chájī	tea table	*12
差	chà	to lack, be short of	*2
长	cháng	long	*3
常常	chángcháng	frequently, often	10
长城	Chángchéng	the Great Wall	*6

* the supplemetary words & phrases

超市	chāoshì	supermarket	8
潮湿	cháoshī	humid	*11
炒面	chǎomiàn	fried noodle	*4
车站	chēzhàn	bus stop	*8
衬衫	chènshān	shirt	*3
橙汁	chéngzhī	orange juice	*4
橙子	chéngzi	orange	*3
吃	chī	to eat	*2
吃饭	chīfàn	to eat a meal	*9
出租车	chūzūchē	taxi	*7
厨房	chúfáng	kitchen	*12
厨师	chúshī	cook; chef	*5
穿	chuān	to wear	*3
传真	chuánzhēn	fax	*6
窗户	chuānghu	window	*12
窗帘	chuānglián	window curtain	*12
窗台	chuāngtái	windowsill	*12
床	chuáng	bed	*12
春天	chūntiān	spring	*11
次	cì	a measure word for event occurrence;time	10
聪明	cōngmíng	clever	*5
错	cuò	wrong	6
打	dǎ	to beat, strike, play	10
打包	dǎ bāo	take-home	4
打（电话）	dǎ (diànhuà)	to make (a phone call)	6
打扫	dǎsǎo	to clean	12
大	dà	big	3
大使馆	dàshǐguǎn	embassy	*5
带	dài	to bring, to take	11
刀子	dāozi	knife	*4
到	dào	to arrive	7
德国	Déguó	Germany	*1
德国人	Déguórén	German	*1
德语	Déyǔ	German	*10
的	de	a structural particle	3
得	de	a structural particle used between a verbs and acomplement	10
得	děi	must, have to	9
弟弟	dìdi	younger brother	5
第二	dì□èr	second	*7
地铁	dìtiě	subway	*7
点	diǎn	o'clock	2
点	diǎn	to order	4
电话	diànhuà	telephone, call	6
电脑	diànnǎo	computer	10
电视	diànshì	TV	*8
电子邮件	diànzǐ yóujiàn	E-mail	*6
东	dōng	east	*7

东西	dōngxi	thing	*10
冬天	dōngtiān	winter	*11
堵车	dǔchē	traffic jam	7
度	dù	degree	11
肚子	dùzi	belly	*9
短	duǎn	short	*3
短信	duǎnxìn	(sms)text message	*6
对	duì	yes, right	8
对不起	duìbuqǐ	I'm sorry.	*1
对面	duìmiàn	opposite	8
多	duō	more, many	9
多大	duō dà	how old	5
多少	duōshao	how much, how many	3
多云	duōyún	cloudy	*11
俄语	Éyǔ	Russian	*10
儿子	érzi	son	*5
二	èr	two	*1
二十	èrshí	twenty	*1
二十一	èrshíyī	twenty-one	*1
发	fā	to send	*6
发票	fāpiào	invoice, receipt	7
发烧	fāshāo	to have a fever	9
法国	Fǎguó	France	*1
法国人	Fǎguórén	French	*1
法语	Fǎyǔ	French	*10
饭	fàn	meal	12
饭店	fàndiàn	hotel	*5
饭馆	fànguǎn	restaurant	*8
房子	fángzi	house, apartment	8
放	fàng	to put	4
飞机	fēijī	plane	*11
飞机场	fēijīchǎng	airport	*6
肥	féi	loose	*3
分	fēn	fen (the fractional monetary unit of China, =1/10 of a mao or jiao)	*3
分	fēn	minute of time or degree	*2
分开	fēnkāi	to separate	12
分钟	fēnzhōng	minute	7
夫人	fūrén	Ms.	8
附近	fùjìn	nearby	8
父亲	fùqīn	father	*5
干燥	gānzào	dry	*11
感冒	gǎnmào	to have a cold	9
高	gāo	tall; high	*5
高兴	gāoxìng	happy	*11
告诉	gàosù	to tell	9

胳膊	gēbo	arm	*9
哥哥	gēge	elder brother	5
个	gè	a measure word that is the most extensively used	4
给	gěi	to give	4
给	gěi	to, for	6
宫保鸡丁	gōngbǎo jīdīng	fried diced chicken with peanuts	4
公司	gōngsī	company	*5;7
公寓	gōngyù	apartment	*8
公园	gōngyuán	park	8
工作	gōngzuò	to work; work; job	5
刮风	guā fēng	windy	*11
拐	guǎi	to turn, change direction	7
贵	guì	expensive	3
贵姓	guì xìng	What's your surname?	1
国	guó	country	1
过街天桥	guòjiē tiānqiáo	overpass	*7
还	hái	still, also	4
汉语	Hànyǔ	Chinese	*10
好	hǎo	good	1
好看	hǎokàn	nice	11
号（日）	hào(rì)	date	2
喝	hē	to drink	4
和	hé	and,with	5
黑	hēi	black	*3
很	hěn	very	1
红	hóng	red	3
红绿灯	hónglǜdēng	traffic light	7
厚	hòu	thick	*3
后（边）	hòu(bian)	behind	*8
后天	hòutiān	the day after tomorrow	*2
壶	hú	pot	4
胡萝卜	húluóbo	carrot	*3
护士	hùshi	nurse	*5
花茶	huāchá	flower tea	4
花瓶	huāpíng	vase	12
花儿	huār	flower	12
滑冰	huábīng	to skate	*10
画画	huà huà	to draw picture	*10
坏	huài	broken, bad	10
黄	huáng	yellow	*3
黄瓜	huángguā	cucumber	*3
灰	huī	grey	*3
回	huí	to go back	2
会	huì	can	10
会	huì	likely to, sure to	11
鸡	jī	chicken	*4
鸡蛋汤	jīdàntāng	egg soup	*4

极了	jí le	extremely	11
几	jǐ	how many...?	2
家	jiā	home; family	2
夹克	jiākè	jacket	*3
件	jiàn	a measure word for clothes	3
健身	jiànshēn	body-building	*10
健身房	jiànshēnfáng	gymnasium	10
姜	jiāng	ginger	*4
饺子	jiǎozi	dumpling	*4
脚	jiǎo	foot	*9
叫	jiào	to be called	1
接	jiē	to pick up	*12
结账	jiézhàng	to pay a bill	4
姐姐	jiějie	elder sister	5
斤	jīn	jin, half kilogram	3
今年	jīnnián	this year	5
今天	jīntiān	today	2
近	jìn	close, near	7
九	jiǔ	nine	*1
九十九	jiǔshíjiǔ	ninety-nine	*1
就	jiù	just, exactly	6
开车	kāichē	to drive car	7
看	kàn	to have a look, read, watch	4
烤鸭	kǎoyā	roast duck	*4
可爱	kě□ài	cute, lovely	*5
可口可乐	kěkǒukělè	coca cola	*3
可能	kěnéng	maybe, possible	10
可是	kěshì	but	11
咳嗽	késou	to cough	9
刻	kè	quarter of an hour	*2
客厅	kètīng	sitting room	*12
空	kòng	free time	10
口	kǒu	a measure word; mouth	5
裤子	kùzi	pants	*3
快	kuài	fast	4
块	kuài	yuan (the basic monetary unit of RMB)	3
会计	kuàijì	accountant	*5
筷子	kuàizi	chopsticks	*4;12
辣椒	làjiāo	pepper	*4
蓝	lán	blue	*3
老板	lǎobǎn	boss	9
老师	lǎoshī	teacher	5
累	lèi	be tired	*9
冷	lěng	cold	11
了	le	a model particle	3
离	lí	away from	7
里（边）	lǐ(biān)	inside	8

立交桥	lìjiāoqiáo	overpass	*7
荔枝	lìzhī	lichi,lychee	*3
脸	liǎn	face	*9
两	liǎng	a measure word, =50 grams	*4
两	liǎng	two	3
零	líng	zero	*1
零下	líng xià	under zero degree	11
另外	lìngwài	besides	12
六	liù	six	*1
旅行	lǚxíng	to travel	11
旅游鞋	lǚyóuxié	sneakers;walking shoes	*3
绿	lǜ	green	*3
妈妈	māma	mother	5
麻婆豆腐	mápó dòufu	fried beancurd with chilli sause	*4
马路	mǎlù	road	8
吗	ma	a question particle	1
买	mǎi	to buy	3
卖	mài	to sell	3
忙	máng	busy	*11
毛	máo	mao,jiao (the fractional monetary unit of China, =1/10 of a yuan)	*3
毛衣	máoyī	sweater	3
没（有）	méi yǒu	not (have)	4
没关系	méi guānxi	That's all right.	*1
每天	měi tiān	everyday	7
美国	Měiguó	United States	1
美国人	Měiguórén	American	1
妹妹	mèimei	younger sister	*5
门	mén	door	*12
米饭	mǐfàn	cooked rice	4
秘书	mìshū	secretary	*5
面包	miànbāo	bread	*3
面条	miàntiáo	noodle	*4
明天	míngtiān	tomorrow	*2
蘑菇	mógu	mushroom	*3
母亲	mǔqīn	mother	*5
哪	nǎ	which	1
哪儿	nǎr	where	5
那	nà	that	3
那儿	nàr	there	7
奶奶	nǎinai	grandma	*5
南	nán	south	*7
呢	ne	an interrogative	1
能	néng	can	4
你	nǐ	you	1
年纪	niánjì	age	*5

您	nín	you (the formal/respectful form of "ni")	1
牛奶	niúnǎi	milk	*3
牛仔裤	niúzǎikù	jeans	*3
女儿	nǚ'ér	daughter	*5
暖和	nuǎnhuo	warm	*11
爬山	pá shān	to climb mountain	*10
怕	pà	to be afraid, fear	7
盘	pán	a measure word, a plate of	4
盘子	pánzi	plate	*4
旁边	pángbiān	beside	8
胖	pàng	fat	*5
朋友	péngyou	friend	*2;6
皮鞋	píxié	leather shoes	*3
啤酒	píjiǔ	beer	*3
便宜	piányi	cheap	3
漂亮	piàoliang	beautiful	5
苹果	píngguǒ	apple	3
葡萄	pútáo	grape	*3
七	qī	seven	*1
妻子	qīzi	wife	*5
骑	qí	to ride	*7
汽车	qìchē	car	*11
气温	qìwēn	temperature	11
钱	qián	money	3
前（边）	qián(bian)	in front of	*8
前天	qiántiān	the day before yesterday	*2
浅	qiǎn	light(color)	12
晴	qíng	sunny	*11
请	qǐng	please	4
请问	qǐng wèn	Excuse me, may I ask...?	6
秋天	qiūtiān	autumn	*11
去	qù	to go to	2
然后	ránhòu	then	*7
热	rè	hot	*11
人	rén	person	1
人行横道	rénxíng héngdào	crosswalk	*7
日本	Rìběn	Japan	*1
日本人	Rìběnrén	Japanese	*1
肉	ròu	meat	12
软炸里脊	ruǎnzhá lǐji	quick fried tenderloin	4
三	sān	three	*1
三十	sānshí	thirty	*1
三十一	sānshíyī	thirty-one	*1
三鲜汤	sānxiāntāng	three delicious soup	4

散步	sànbù	to take a walk	*10
沙发	shāfā	sofa	*12
商店	shāngdiàn	shop,store	6
上（边）	shàng(bian)	on, above	8
上（菜）	shàng(cài)	to serve(dish)	4
上班	shàngbān	to go to work	*2;7
上个星期	shàng gè xīngqī	last week	11
上课	shàngkè	to attend class	*9
上网	shàngwǎng	to surf on line	10
上午	shàngwǔ	morning	*2
稍等	shāo děng	wait a moment	6
勺子	sháozi	spoon	*4;12
深	shēn	dark(color)	12
什么	shénme	what	3
生病	shēngbìng	to fall ill	*9
十	shí	ten	*1
十二	shí'èr	twelve	*1
十九	shíjiǔ	nineteen	*1
十三	shísān	thirteen	*1
十四	shísì	fourteen	*1
十一	shíyī	eleven	*1
十字路口	shízì lùkǒu	intersection	*7
是	shì	to be	1
试	shì	to try	3
收拾	shōushi	to tidy up	*12
手	shǒu	hand	*9
瘦	shòu	thin	*3
书	shū	book	8
蔬菜	shūcài	vegetable	12
书房	shūfáng	study room	*12
舒服	shūfu	comfortable	*9
书柜	shūguì	bookcase	8
帅	shuài	handsome	5
双	shuāng	a pair of	*4
谁	shuí	who; whom	5
水	shuǐ	water	9
水果	shuǐguǒ	fruit	12
睡觉	shuìjiào	to go to bed	*2
说	shuō	to speak, say, talk	9
司机	sījī	driver	*5;7
四	sì	four	*1
松鼠鳜鱼	sōngshǔ guìyú	squirrel sample fish	*4
酸辣汤	suānlàtāng	sour and spicy soup	4
岁	suì	years of age	5
他	tā	he,him	*1;5
她	tā	she,her	6
他们	tāmen	they,them	5

台灯	táidēng	table lamp	*12
太	tài	too , too much	3
汤	tāng	soup	*4
糖醋鱼	tángcùyú	sweet and sour fish	*4
套	tào	a measure word	*3
套裙	tàoqún	dress	*3
疼	téng	painful	9
天气	tiānqì	weather	11.
天气预报	tiānqì yùbào	weather forecast	11
条	tiáo	a measure word	*3
听说	tīngshuō	it is said	8
停	tíng	to stop	7
头	tóu	head	*9
头疼	tóu téng	headache	9
腿	tuǐ	leg	*9
外（边）	wài(bian)	outside	*8
碗	wǎn	bow	4
晚	wǎn	late	12
晚饭	wǎnfàn	dinner	*2
晚上	wǎnshang	evening	*2
往	wǎng	towards	7
网球	wǎngqiú	tennis	10
位	wèi	a measure word for person	6
喂	wèi	hello (typically used for answering a phone call)	6
味精	wèijīng	monosodium glutamate (MSG)	4
为什么	wèishénme	why	7
卫生间	wèishēngjiān	toilet	12
问题	wèntí	problem,question	*12
我	wǒ	I, me	1
卧室	wòshì	bedroom	*12
五	wǔ	five	*1
西	xī	west	*7
西班牙	Xībānyá	Spain	*1
西班牙人	Xībānyárén	Spaniard	*1
西班牙语	Xībānyáyǔ	Spanish	*10
西服	xīfú	suit	*3
西红柿	xīhóngshì	tomato	*3
西兰花	xīlánhuā	broccoli	*3
洗	xǐ	to wash	12
喜欢	xǐhuan	to like	9
下（边）	xià(bian)	under	8
下班	xiàbān	to come off work	*2;10
下午	xiàwǔ	afternoon	* 2
下雪	xià xuě	to snow	* 11
下雨	xià yǔ	to rain	11
夏天	xiàtiān	summer	* 11

先生	xiānsheng	Mr.sir	*1
现在	xiànzài	now, at the present time	2
香菜	xiāngcài	caraway	*4
小	xiǎo	small	13
小姐	xiǎojiě	Miss	*1
些	xiē	a measure word,some	12
谢谢	xièxie	Thanks.	* 1
新	xīn	new	8
星期	xīngqī	week	2
行	xíng	OK	3
姓	xìng	surname	1
修	xiū	to repair, fix	10
休息	xiūxi	to rest	9
学	xué	to earn , study	*10
学校	xuéxiào	school	5
牙	yá	tooth	*9
颜色	yánsè	colors	*3
眼睛	yǎnjing	eye	*9
洋葱	yángcōng	onion	*3
药	yào	medicine	9
要	yào	need	12
要	yào	to take, spend	7
要	yào	to want	3
药店	yàodiàn	drugstore	*9
钥匙	yàoshi	key	*8
爷爷	yéye	grandpa	*5
也	yě	also, too	1
一	yī	one	*1
衣服	yīfu	clothes	12
衣柜	yīguì	chest	* 8
医生	yīshēng	doctor	*5;9
医院	yīyuàn	hospital	*5;9
以后	yǐhòu	after	10
椅子	yǐzi	chair	*8
一百	yìbǎi	one hundred	*1
(一)点儿	(yì)diǎnr	a little, a bit	3
一共	yígòng	altogether	3
一起	yìqǐ	together	*9;10
一下儿	yíxiàr	indicates that an action is brief, sight with soft and polite mood	12
一直	yìzhí	straight (ahead)	7
阴	yīn	overcast	*11
银行	yínháng	bank	*6
英国	Yīngguó	Britain	1
英国人	Yīngguórén	British	1
英语	Yīngyǔ	Engish	*10
游泳	yóuyǒng	to swim	*10
游泳馆	yóuyǒngguǎn	public swimming pool	*10

有	yǒu	to have	3
有时候	yǒushíhou	sometimes	10
有雾	yǒu wù	foggy	* 11
有一点儿	yǒu yìdiǎnr	a bit	9
右	yòu	right	7
鱼	yú	fish	* 4
雨	yǔ	rain	11
雨伞	yǔsǎn	umbrella	11
语言学校	yǔyán xuéxiào	language school	*10
原来	yuánlái	originally	8
远	yuǎn	far	*7
月	yuè	month	2
熨	yùn	to iron	12
杂志	zázhì	magazine	8
在	zài	to exist; to be at,in or at a place	5
再	zài	more; again	4
再见	zàijiàn	good-bye	*1
早上	zǎoshang	early morning	*2
怎么	zěnme	how	3
怎么了	zěnme le	what's the matter	9
怎么样	zěnmeyàng	how about	8
张	zhāng	a measure word for paper, map and bed, etc.	4
丈夫	zhàngfu	husband	*5
找	zhǎo	to look for	6
这	zhè	this	3
这儿	zhèr	here	7
只	zhī	a measure word	*4
知道	zhīdào	to know, understand	7
职员	zhíyuán	staff member	*5
中国	Zhōngguó	China	*1
中国人	Zhōngguórén	Chinese	*1
中间	zhōngjiān	in the midde of; between	*8
中文	Zhōngwén	Chinese	8
中午	zhōngwǔ	noon	*2
周末	zhōumò	weekend	10
桌子	zhuōzi	table, desk	8
自行车	zìxíngchē	bike	*7
总是	zǒngshì	always	*10
走	zǒu	to walk, go, leave	7
走着	zǒuzhe	on foot	7
嘴	zuǐ	mouth	*9
昨天	zuótiān	yesterday	*2
左	zuǒ	left	*7
坐	zuò	to sit	*7
做	zuò	to do	5
做饭	zuò fàn	to cook	*10
T 恤	T xù	T-shirt	*8

日常生活用语100句
Daily Chinese 100

基本礼貌用语

你好！ Hello! P6

你好吗？ How are you? P6

我很好。你呢？ I'm fine. And you? P11

谢谢。 Thanks! P15

不客气。That's all right. P15

对不起。 I'm sorry. P15

没关系。You are welcome. P15

再见。Good-bye! P15

个人信息

您贵姓？ What's your surname? P7

我姓宋，叫宋丽丽。My surname is Song. I'm Song Lili. P7

您是英国人吗？ Are you British? P11

我不是英国人。No, I'm not. P11

您是哪国人？ What's your nationality? P11

我是美国人。I am American. P11

你在哪儿工作？ Where do you work? P58

他在学校工作，他是老师。He works at school. He is a teacher. P58

你家有几口人？ How many people are there in your family? P58

你今年多大？ How old are you this year? P63

我今年30岁。 I'm 30 this year. P63

你有姐姐吗？ Have you got an elder sister? P65

你姐姐很漂亮。Your sister is very beautiful. P64

时间

现在几点？ What time is it now? P20

现在六点半。It's half past six. P21

你几点回家？ When are you going home? P21.

今天几号？ What day is today? P24

今天八月八号. Today is the 8th of August. P24

十三号是星期几？ What day is the 13th? P24

你几号去上海？ Which day are you going to Shanghai? P25

方位

我的书呢？ Where is my book? P93

书在桌子上边。 The book is on the desk. P95

你的新家在哪儿？ Where is your new home? P97

在朝阳公园旁边。It is beside Chaoyang Park. P97

那儿怎么样？ How is it there? P98

马路对面有一个公园。There is a park on the opposite side of the road P98

（公园）附近还有一个大超市。there is a big supermarket nearby P98

银行在商店对面。 The bank is on the opposite side of the shop P100

购物

（苹果）多少钱一斤？ How much is it for one jin of apple? P31

太贵了，便宜点儿，行吗？ That's too expensive. Can you make it cheaper? P32

我买苹果。Apples. P32

一共多少钱？ How much altogether? P32

那件毛衣怎么卖？ How much does the sweater cost? P37

我试试，行吗？ Can I try it on? P37

有红的吗？ Is there a red one? P37

这件毛衣太小了，有大的吗？ This sweater is too small. Is there a bigger one? P37

就餐

这是菜单，请点菜。This is the menu. Please order. P48

你喝什么？ What would you like to drink? P48

还要别的吗？ Anything else? P47

要一个宫爆鸡丁。 I'd like a fried diced chicken with peanuts. P48

请给我一张餐巾纸。Please give me a napkin. P51

别放味精。Don't add MSG. P51

能快点儿吗？ Can you make it faster? P52

小姐，结账。Miss, the bill, please. P52

这个菜打包。 I'd like to take this dish home. P52

出行

去大众公司怎么走？ How can I get to the Dazhong Company? P81

一直走。Go straight ahead. P81

到红绿灯往右拐。Turn right at the traffic light. P81

您去哪儿？ Where are you going? P82

到了，就停这儿吧。 Here we are. Stop here please. P82

请给我发票。Please give me an invoice. P82

你每天怎么去上班？How do you go to work everyday? P86

走着去上班。On foot. P86

你家离公司很近吗？ Is your home close to your office? P86

走着去要四十分钟。 Not close. It takes 40 minutes to get there. P86

打电话

我找马丁。他在吗？ Martin, please. Is he in? P71

是王先生吗？ Is that Mr. Wang? P71

请问珍妮在吗？ Hello, is Jenny in? P74

我是她的朋友张华，请她给我回电话 This is her friend Zhang Hua. Please ask her to call me back. P75

您找谁？ Hello! Whom do you want to speak to? P70

请稍等。Yes, wait a moment please. P70

我就是。Speaking. P70

你打错了。You have the wrong number. P70

您（是）哪位？ Who is speaking? P74

您的电话（号码）是多少？ What's your telephone number? P75

看病

你怎么了？ What's the matter? P106

你感冒了。 You've got a cold. P106

我有一点儿头疼。 I have a headache. P106

吃（一）点儿药吧。Why don't you take some medicine. P107

我不喜欢吃药。I don't like taking medicine. P107

我今天不能上班了。 I can't go to work today. P110

你得多休息。 You'd better have a rest. P110

业余生活

下班以后你常常做什么？ What do you often do after work? P122

有时候打网球。 Sometimes I play tennis. P122

一个星期几次？ How many times a week? P122

这周末你有空吗？ Do you have time this weekend? P123

我们一起打网球吧。Let's play tennis together. P123

你会修电脑吗？ Can you repair a computer? P117

他（修电脑）修得很好。 He does a good job on it. P117

我会一点儿。I know a little. P117

我的电脑坏了，不能上网了。 My computer is broken, I can't get online anymore. P118

谈天气

那儿的气温是多少度 What is the temperature there? P131

那儿的天气太冷了。it is too cold there. P131

（那儿）零下二十二度。 It is minus 22 degrees. P131

（那儿）比北京冷多了。It is much colder than Beijing. P131

今天会下雨吗？ Will it rain today? P135

天气预报说今天有大雨。The weather forecast says it will rain today. P135

我没带雨伞。I haven't brought my umbrella. P135

昨天晚上下雪了。It snowed last night P137

谈家务

阿姨，请把桌子擦一下儿。Ayi, please clean the table. P142

深颜色的和浅颜色的要分开洗。Dark colors and light colors should be separated. P143

把这些筷子、勺子、碗放到桌子上。 please put these chopsticks, spoons, and bowls on the table. P146

郑重声明

图书在版编目（CIP）数据

体验汉语. 生活篇/朱晓星等编. —北京：高等教育出版社，2006.2(2011.6 重印)
40－50 课时
ISBN 978－7－04－018747－2
Ⅰ. 体...　Ⅱ. 朱...　Ⅲ. 汉语－对外汉语教学－教材　Ⅳ. H195.4

中国版本图书馆 CIP 数据核字(2006)第 000970 号

出版发行	高等教育出版社	咨询电话	400－810－0598
社　　址	北京市西城区德外大街 4 号	网　　址	http://www.hep.edu.cn
邮政编码	100120		http://www.hep.com.cn
印　　刷	北京中科印刷有限公司	网上订购	http://www.landraco.com
开　　本	889×1194　1/16		http://www.landraco.com.cn
印　　张	11.25		
字　　数	350 000	版　　次	2006 年 2 月第 1 版
购书热线	010－58581118	印　　次	2011 年 6 月第 8 次印刷

本书如有印装等质量问题，请到所购图书销售部门调换

物 料 号　18747－A0

ISBN 978－7－04－18747－2
05800